JN061336

新版 物語更新理論入門

A New Introduction to Narrative Renewal Theory

片渕 悦久

Nobuhisa Katafuchi

学術研究出版

この本は、以前出版した『物語更新論入門（改訂版）』の内容をアップデートした「理論編」に、講義ノートの一部や授業で用いたスライド資料等から抜粋した内容を講義風に再構成した「実践編」を付け加え「新版」とした書物です。

　以下では、物語とは何なのか、物語論が物語研究のツールとしてどうすれば有効に活用できるのか、またリメイクやリブート、リイマジネーションなどとも呼ばれる物語の再創造という文化現象の解明に対して、「物語更新理論」がどれだけ使えるのか、こういった諸問題について、いろいろなタイプの物語に観察可能な「更新」のありようを考察の対象としながら、専門的には物足りないという向きもあるかもしれませんが、あくまで入門書として、できるだけ平易に語ってみたいと思います。

　物語とはあらゆる可能性の総体です。さあそれでは、多様で豊かな物語更新の世界へとみなさんをご案内しましょう。

This book offers a response to the narratological paradigm for the analysis of storyworld, one that refers to transmedial, cognitive, and enactivist approaches to narratives. Recent trends in narratology extensively employ possible worlds semantics and the enactivist theory of cognition to discuss the relations among narrators, storyworlds, and representational media in transfictional storytelling, problems of media specificity in transmedial strategies of narrative representation, interaction between consciousness and experience through an investigation of mutual incorporation of narrativity and experientiality, and the transmedial experience of worldness registered by the recipient's engagement with narratives as content systems. The novelty of this book is that it incorporates knowledge and findings from these recent studies to theorize the workings of narrative experience as a continuous renewal process. For the first time, I apply a phenomenological and enactivist approach to advance a theory of narrative experience by (a) introducing the concept of renewal as accomplished by the storyworld's (re)conceptualization; (b) presenting a theoretical framework for transfictional worldness and the decoding/encoding process of renewal; and (c) elaborating on the concept of a narrative matrix, mentally reconstructed and shared by recipients and creators. Storyworlds thus reconceived through narrative experiences are embodied as protean mental images that yield a transfictional worldness composing a variable matrix. The theorization of narrative experience as such confirms that one may consecutively create out of recognizable worldness, perceived as the storyworld's mental images, a renewed narrative, collaborating with the existing matrix and causing almost infinite variations that combine potentially inexhaustible repetitions and differences.

目　次

理論編（Theory）

実践編（Practice）

参照文献リスト（Selected References）

理論編
Theory

1．はじめに

　この本は「物語更新」という文化現象とその理論化を主題
とします。具体的には「物語更新理論」という理論的体系を
提案することが目的です。もっとも、高尚な理論書をめざす
つもりはありません。以下では、この理論とその実践の可能
性についてできるだけ単純明快に説明していくつもりです。

　これからの物語研究は、メディアの多様化や受容のあり方
の変化に対して寛容で柔軟でなければならないと私は心から
信じています。単に文学から映画ではなく、考察の中にあら
ゆる文化的メディアを取り込み、各メディアの創造する物語
が更新されていくありようを精密に読み取り、物語内容の変
容をあとづけることがなおさら重要になってきているからで
す。私はこうした研究の姿勢を、「物語更新理論」として提唱
するつもりです。

　物語更新理論 (narrative renewal theory) とは、文字どおり作
りかえられては更新される物語（メディアやジャンルの変換
を経て〔再〕創造された物語）を分析対象として、その変換
原理や法則性を体系化する理論のことをいいます。別の言い
方をすれば、「更新」という特有の物語変換現象に焦点を当て
た特殊な物語論と位置づけることもできるでしょう。もっと
も、漠然と更新という言い方をしましたが、それによって物
語のすべてが作り変えられてしまうのだと主張したいわけで
はありません。たとえば先行するある物語がその後どのよう

な形でリメイクされていったとしても（そのような現象に焦点を当てて研究する学問体系をアダプテーション〔翻案〕研究といいます）、何らかの物語的要素が残存しつづける、というように考えられるのです。そうした事実こそがまさに、異なるメディアで実現された物語どうしをたがいに起源を同じくする、もしくは一方を他方の更新元であると認識させる決定的条件となるのです。

　「更新」の概念は、たとえば既存のアダプテーション研究がめざしてきた翻案元（原作）と翻案作品（リメイクされた物語）との対等な比較研究、またプロセスとプロダクトとしてのアダプテーションの両面性を前提とする理論のあり方を参照しながら、ときにそれらを修正しつつ発展させる新たな研究方法の確立につながっていきます。つまり、従来のアダプテーション理論以上に、更新元テクストが更新テクストへと変換される構造を可視化すること、それが私の提案する物語更新理論の独自性を担保する有力な理論的土台なのです。

　以上簡単に述べてきたように、今後の発展可能性を考慮に入れれば、物語更新論は、とくに 2000 年代以降、自然科学や社会科学のいくつかの分野、たとえば認知科学、メディア理論などを取り込んで多面的に発展を遂げてきた現代の物語論―伝統的な構造主義物語論をclassicalと位置づけ、その問題点を修正しつつ発展継承する postclassical narratology と呼称されます―に対して物語テクストの精読を旨とする文学研究の側からの再アプローチとして、物語論のさらなる発展に向

けてその一翼を担うことが期待される理論であるといえます。物語はメディアやジャンルを超え、さまざまに変容しながら、それでもなお変わらない要素を残しつつ、ひとつの世代から次の世代へと継承されていきます。そこには、物語の発信者から受信者へのコミュニケーションが成立し、さらに受信者が何らかの形で次の世代の発信者となっていく過程で物語は更新され、そうして更新された物語が次の受信者へと伝達されるのです。発信者のメッセージが受信者にどのような効果をともなって物語として伝達されるのか、あるいは受信者がどのようにメディアに参加し、みずからの欲求を消費するのかにとどまらず、発信者と受信者の双方を包摂した形で、両者が広い意味での語り手として、多様なメディアのさまざまな記号と意味の連関をつうじて、どのようにテクストを変換しつつ生産し、伝達し、消費していくか、そういったことを明らかにしていくのが、私の考える物語更新だと理解していただけるとうれしく思います。

　結論を先取りして主張するなら、物語更新の鍵となる概念は「ストーリーワールド」(storyworld)、異なるストーリーワールドどうしが継承あるいは共有する「ワールドネス」(worldness) にもとづいた「メンタル・イメージ」(mental image)、そして異なる物語どうしを包摂する「マトリクス」(matrix) です。詳しいことは後で述べますが、物語更新とは、ストーリーワールドから抽出されるメンタル・イメージとして記憶された更新元の物語内容を異なるメディアで再現表象することで

あり、その結果がこの本でいう更新のメカニズムであるとここではまとめておきたいと思います。あらゆる物語テクストには、物語がその名で呼ばれるにふさわしい構造や主題を維持できる条件を一定のメンタル・イメージとして定着させる力が内在しており、受容者／創造者はそのイメージを読み取り、それをもとにして世界観を構成し物語を更新していくのです。以下では、こうしたことにともなう諸問題に検討を加えながら、理論として体系化していく道筋をできるだけ簡潔に示していこうと考えています。

　さて、以下では物語更新理論についてできるだけ単純明快に説明していくつもりですが、その前にこの理論に関連する基本的概念について解説していきます。まず物語とは何かについて、次に現在までの物語論の歴史とポイントを説明し、それから物語更新の概要を述べ、最後に物語更新理論とは何かについて具体的な作品にも言及しながら紹介します。

2．物語を定義する

　「物語は人類の歴史とともにはじまる」。フランスの文芸批評家・哲学者のロラン・バルトは「物語の構造分析」の冒頭でこのように述べています。物語論を扱う書物は、たいてい同じような書き出しからはじまるといってもいいでしょう。物語は私たちの身近にたくさんあってそれが当たりまえのようになっています。それにしても「物語」とはいったい何なのでしょうか。私たちは日々いろんな形で物語に接しています。小説や映画やテレビドラマ、それに舞台演劇、ミュージカルやオペラやバレエだって、もちろん物語であると私たちは認識します。高尚な文学作品はもちろん物語です。『ハムレット』でも、『こゝろ』でも、『キャッチャー・イン・ザ・ライ』でも、『1Q84』でもかまいません。これらはすべて物語ですね。あるいは、『スター・ウォーズ』、『マレフィセント』、それに『キャッツ』を例に出してみましょう。もちろんこうした作品だってまちがいなく私たちは物語であると認識するはずです。それだけではありません。アニメやコミック、あるいはテレビゲームのコンテンツにも、もちろん私たちは物語を見出しますね。『新世紀エヴァンゲリオン』、『ONE PIECE』、『鬼滅の刃』、『ファイナルファンタジー』……。それこそ尽きることなくいくらでも例証的な物語を出すことができます。

　しかし考えてみると、私たちがふつう「物語」であると認

識する根拠というか、定義はけっきょくのところどんなものであるのか、いまひとつはっきりとしないような気がします。そこでまずは、「物語」の基本定義を考えることから話をはじめてみたいと思います。「物語」の定義は広い意味から狭い意味まで、実にさまざまな形で与えることが可能です。ここではモニカ・フルーダニクによる最近の物語論入門書に紹介されている「物語」の定義を手がかりに考えてみましょう。物語（narrative）は「語る」（narrate）から派生した語であり、語るという発話行為そして語り手の存在と密接にかかわっているとフルーダニクは言います。

　しかしそのように総括してしまうと、フルーダニクも認めているように、語り手が語る行為をともなって提示する対象はすべて物語だということになってしまいます。なるほどこうした定義そのものが誤っているわけでは決してないのですが、いっぽうでこのままでは物語について何も定義していないのと同じであるともいえます。それでは物語をどのように位置づければ適切に定義づけたということになるのでしょうか。そのためにも、物語をめぐるもっと古い定義を紐解いてみる必要がありそうです。まず引き合いに出しておきたいのは、ロバート・スコールズとロバート・ケロッグの『物語の本質』（1966年）です。この中で、スコールズとケロッグが述べている定義のポイントは、物語が「ストーリーとストーリーテラーの存在」をその特質とする文学作品だけを指すということです。もしも物語にストーリーとストーリーテラーの両

方が必要であるということになるなら、すべての文学作品が物語と定義づけられるわけではないということになります。そのように彼らが考えたとしても、それはいたし方のないというか、限定的な意味合いで納得のいく定義だといえるでしょう。これにならうなら、小説はそれを語っているストーリーテラーの存在が容易に想定できるので物語といえるのに対して、戯曲にはストーリーはあるがストーリーテラーがいない、抒情詩にはストーリーテラーはいるがストーリーはないので物語ではないということになります。

　いっぽう物語の発信者だけではなく受信者側の存在もその定義に加える物語論者もいて、今はむしろこちらの方が主流です。たとえばジェラルド・プリンスによれば、物語とは語り手から聞き手へと伝達される現実あるいは虚構の事象の報告と定義づけられます。シュロミス・リモン＝キーナンも、出来事の連鎖の報告と発信者から受信者への情報の伝達を重視しており、基本的にプリンスと同様の定義を提案しているといえます。

　さて以上のような見解を集約した上で確認しておきたい物語の基本定義とはいったいどのようなものになるでしょうか。端的にいうと物語とは、「1人もしくはそれ以上の人物またはそれに相当する存在がかかわり、時間的および因果関係的に連続すると認識される2つまたはそれ以上の事象の報告」ということになります。もちろんこれに物語の発信側から受信側への伝達にかかわる媒体（メディア）—小説、映画、舞台、

テレビゲームなど―にまつわる諸問題も絡んでくることを忘れてはいけません。物語の内容と形式を切り離す考え方をすることももちろん可能ではあるのですが、詳細については後で述べるとして、物語更新理論では物語の内容と表現を切り離さないことを前提としてその理論化を考えています。少し回りくどい言い方をしてしまいましたので、より単純な表現でまとめてみましょう。とりあえず物語とは、具体的な表現媒体の違いにかかわらず、要するに時間的な連続もしくは因果関係が読み取れるような出来事の連続ということになりそうです。

　ただしこれではまだ定義上かなり不透明な部分が残ってしまいます。結局のところ物語を定位する条件とは何なのでしょうか。時間でしょうか、それとも因果関係でしょうか。この点の解決がどうしてもつかないのです。このことに関連して、英国の小説家E・M・フォースターは『小説の諸相』（1927年）の中で、物語の定義といえば決まって引き合いに出される有名な2つの例をあげています。

| The king died, and then the queen died. | 王が亡くなった。そして王妃が亡くなった。 |
| The king died, and then the queen died of grief. | 王が亡くなった。そして王妃が悲しみのため亡くなった。 |

最初の例をフォースターは「ストーリー」（story）、2番目の例を「プロット」（plot）としました。その違いは、前者は時間の経過のみを出来事の連続の根拠とするのに対し、後者で

は因果性が物語の軸となっていることにあるとフォースターは説明します。つまり王を失った王妃の悲しみと彼女の死に因果関係があると説明することが可能だとわけです。

　フォースターが主張する「ストーリー」と「プロット」の区別は、現代の物語論の観点からみるとほとんど役には立ちませんが、それでもおもしろい問題を提起しています。もう少しだけフォースターの説につき合ってみましょう。彼はこうたずねます。「王妃が亡くなった。なぜ亡くなったのか誰にもわからなかった。王が亡くなったことへの悲しみのためであることがわかるまでは」。これをフォースターは「謎を秘めたプロット」であると位置づけます。物語の時間の流れが中断され、ストーリーの枠からはずれた物語の高度な発展の可能性がそこに読み込めるからです。はじめの引用をもういちど引き合いに出してみましょう。「王が亡くなり、王妃が亡くなった」という出来事の連鎖からなる物語を想定するとします。これがフォースター流の「ストーリー」なら、物語の受容者は「それから？」とたずねるはずです。なぜならこの場合の「ストーリー」は時系列的な物語だからです。いっぽうそれが「プロット」であれば、受容者は「なぜ？」とたずねるはずだとフォースターは述べます。「プロット」は因果関係にもとづく物語だからです。

　考えてみると、これはかなり素朴でおおざっぱな主張ではあるのですが、一見とても役に立ちそうもないフォースターのこうした区別にいまだ有効な点があるとすれば、それは、

私たちが物語を認識する際に時間的連鎖と因果関係のどちらに基盤を置くか、あらかじめ明確には条件づけできないことを示してくれている点に求めることができるでしょう。私たちの物語理解は時間的な連鎖の中に因果関係を読み取り、また因果関係的な連鎖の中に時系列的つながりを意識しているということです。つまり時間と因果の連鎖の同時認識、これこそ私たちの物語理解の基盤にほかなりません。そのことを再認識させてくれるだけでも、フォースターの定義には使える部分もあるというわけです。

　これに関連してバルトは、スコラ哲学の提案した論理の誤りの指摘、「そのものの後に、ゆえに、そのものによって」（post hoc, ergo propter hoc）を引き合いに出して、物語の原動力は時間性と因果性の混同にあると指摘しています。さらにリモン＝キーナンは、バルトのこの指摘を受けて、17世紀英国詩人ジョン・ミルトンの生涯を単純化して叙述した次の３つの文をジョークとして例示しています。「ミルトンは『楽園喪失』を書いた、それから彼の妻が亡くなった、それから彼は『楽園回復』を書いた」。これは表面的には、「それから」という語が表しているとおり、時間的連鎖にもとづいた物語です。ちなみにミルトンは生涯で３度結婚し、そのうち２度妻と死別しています。そのどちらの妻のことを指すか、またミルトンが恐妻家だったかどうかなど、この際問題ではありません。だとしても、「楽園」が自由な独身生活を暗示していると読み込めば、この一見時系列的な物語の連続には、結婚によって

「楽園」が喪失し、妻を亡くしたことでそれが「回復」されたと因果関係的に解釈される余地があるのです。ちなみに、『楽園喪失』は言わずと知れた英文学史上最高の叙事詩であり、地獄に堕ちた悪魔の復讐とアダムとイヴの堕落、神の摂理の正しさを明らかにする1万行余りの大作です。『楽園回復』はその続編で、悪魔とキリストの闘いを物語ります。そのどちらもミルトンの結婚生活および人類一般の夫婦関係を直接に主題的関心としてはいませんのであしからず。

さてずいぶんと脱線しましたが、物語の定義は時間および因果関係にかかわらず、2つ以上の連続する出来事の報告を何らかの媒体を通じて記号化した表象とすべきでしょう。そしてこうした物語の定義は報告される出来事の連続を受容し解釈する私たちの読みとの間に、つねに柔軟で変わりゆく関係性を保ちながら構築されては壊されまた再構築されていく、永遠に継続的なテクストと受容者との相互作用として理解されなくてはなりません。

受容者が意味ある関係性を読み取ることのできる出来事の連続が物語であると定義するとしても、時間連鎖であれ因果関係であれ、また比喩的、象徴的なつながりであれ、物語テクストとその受容者との双方向的な、あるいは対話的な関係性を無視することはできません。そこでここでどうしても触れておかなければならないのが、受容理論（reception theory）あるいは読者反応理論（reader-response criticism）と呼ばれる研究分野の考え方です。まず紹介しておきたいのが、「内包

された読者」という概念です。ドイツの受容理論批評家ヴォルフガング・イーザーは、物語テクストとはあらかじめ読者を特定の解釈に誘うものであると考えました。そこでウェイン・C・ブースの考案した用語、「内包された作者」（物語から読み取れる作者像のような概念）の対概念として、イーザーが提案したのが「内包された読者」です。内包された読者は現実の読者から区別され、作品の数だけ想定されます。ひとつの物語テクストには1人の内包された読者がいて、その存在は物語テクスト全体から推定可能だということです。また内包された読者とは、社会・文化的背景をもった読者像ではなく、物語テクストが伝達しようとする潜在的な意味を理解するために必要とされる物語の受け手の機能と行為を指す全体像のことを指します。つまり、内包された読者は物語テクストの構造に組み込まれた構成概念であり、イーザーの考えでは、物語テクストは読者の参加によってのみ、その「空白」（物語内容の不明点やそれをめぐる解釈の揺らぎ）が埋められるということです。内包された読者は超越論的あるいは現象学的存在であり、私たち読者があらかじめ物語テクストが前提とする読みの可能性にみずからの読みを合致させることによってのみ内包された読者像との同一性を担保できるのです。

　いっぽう、物語テクストの分析において読者が果たす役割に注目したのが読者反応批評です。これは文学作品そのものを作者や社会から切り離して分析しようとするニュークリティシズム（New Criticism=新批評）や、後で触れますが、

作品の素材や形式に注目したロシア・フォルマリズムが実践したテクスト中心の物語理論のあり方に対して、1970年代ごろから発展しはじめた批評態度を総称した理論のことであり、その関心は、私たち読者一人ひとりが物語テクストをどのように受容するのかにあります。解釈学や文体論、記号論や精神分析学などの理論的枠組みを援用することで、読者反応批評は物語テクストの意味生成における読者の貢献に焦点を当て、テクストと読者との相互影響を分析します。たとえば、「作者の死」を宣言したバルトの『S／Z』はバルザックの『サラジーヌ』の物語分析をつうじて、読者は単なる物語を消費する存在ではなく、「書けるテクスト」の意味生成に参加する主体的存在であると喝破していますが、まさにこれも物語受容者の反応に批評的パラダイムシフトが起こっていることの例証にほかならないでしょう。またアメリカの批評家スタンリー・フィッシュは、読者が物語テクストに反応する過程に注目し、「解釈共同体」の概念を提出しています。フィッシュによれば、読者の読みの経験こそ解釈でありテクストの意味なのです。こうした読みの体験を規定する役割を果たすのが解釈戦略であり、これを共有する集団が解釈共同体というわけです。イーザーの受容理論とフィッシュらの読者反応批評との違いは、端的にいえば、前者が物語テクストに内在する特質を客観的に扱うことをめざしているのに対して、後者は物語の受容者がテクストの意味生産へのかかわりに関心を移した点に集約できるでしょう。

ところで、『物語分析ハンドブック』の著者リュック・ヘルマンとバルト・ヴェルヴァエックは、物語を認識する鍵となるのは、時間や因果性ではなく、「意味ある関係」であると述べています。そうした「意味ある関係」を見出すのは、もちろん私たち読者つまり物語の受容者なのだとヘルマンとヴェルヴァエックは主張します。２人によれば、時系列的であれ因果関係的であれ出来事の連鎖に物語を定位するのは、物語そのものではなく出来事の定義の問題へと焦点をずらす試みにすぎません。出来事の連鎖は物語が提示するのではなく、あくまで読者が見出すものです。物語の受容者である私たちが、物語として表現されるいくつかの出来事に、時間連鎖であるか因果関係であるかにかかわらず、何らかの意味ある関連性を与えるのです。ミルトンの妻の死が彼の楽園の発見につながったというセンテンスの連鎖にジョークめいた意味を与えるのはほかならぬ私たち物語の受容者なのです。繰り返しますが、私たちが連続する出来事の報告を物語と認識するのは、そこに何らかの意味を見出すからです。私たちが認識する意味ある出来事の連続は決して時間や因果性に還元してしまうことのできないものであり、フルーダニクも述べているように、物語の受容者による「経験性」や「体験する意識」などにもとづいて、受容する物語に「意味ある関係」が付与されることによってはじめて、物語内容として記憶されるのです。物語とは受容者が受信し、それを意味ある内容として記憶に残すことによってのみ物語となりえるのです。さらに

いえば、物語とはそうして記憶されるあらゆる潜在的事象の総体であり、それこそが私たちが共有する物語経験の本体なのです。この点は、後で詳しく述べる物語更新の概念理解に必要ですので覚えておいてください。

3．物語論の歴史と現在

　ここからは「物語論」について話をしたいと思います。物語を研究する学問の名前は、広い意味で「物語研究」（narrative studies）、理論化された物語分析の方法については「物語理論」（narrative theory）と呼称されます。この本で基本的に用いる物語論（narratology）とは、より狭い意味でさまざまな物語形式を対象とした理論的考察のことを指しますが、要するに「物語を研究する学問体系」であることに変わりはありません。それでは、この学問はどのようにして成立し、そして発展をつづけ現在へと至るのでしょうか。まずは物語論のはじまりを探ることから話をはじめましょう。

　物語論の起源を考える際に、いくつかの出発点を想定することができます。構造主義文学理論、記号論、ロシア・フォルマリズム、また英米の文学批評の伝統の中で培われた独自の物語技法批評など……。なかなかやっかいです。しかし、やはりここは文学理論の歴史をさかのぼって、アリストテレスの『詩学』を取り上げることなくしては、物語論の本当のはじまりを見極めることにはならないでしょう。

　アリストテレスの『詩学』は、その原題を「創作についての技術」といい、とりわけ叙事詩と悲劇に関する構造論的な技術論で、物語論に限らず、すべての文芸批評、文学理論の原点と考えられています。アリストテレスの考察の方法は分析的かつ記述的であり、その主要な理論的関心は（韻文［詩

に用いられる言葉］で書かれた）文学の本質や形式を明らか
にすることにあります。つまり、『詩学』の目的は作品の構成
原理を記述することをつうじて優れた創作の方法を教えるこ
とにあったのです。『詩学』で扱われる「筋」（ミュトス＝英
語ではプロット）、「性格」（キャラクター）、「再現」（ミメー
シス＝mimesis）、「語り」（ディエゲーシス＝diegesis）といっ
た中心的概念は、現代の物語論でもなお有効な用語です。ま
た物語を、始め・中・終わりといった因果関係にもとづくひ
とつの流れでとらえる考え方は、後で述べますが、現代の物
語論が基本的に想定する「物語の論理」に受け継がれている
ところもあります。

　次に説明したいのが、20世紀初めのフォルマリズムが物語
論の理論的形成に与えた影響についてです。ここでいうフォ
ルマリズムとは、1910年代なかばから20年代を中心に、1930
年ごろまで影響力をもったロシア（当時はソヴィエト連邦）
の文芸批評運動のことを指します。言語学者や文学批評家の
集団からなるロシア・フォルマリストたちは、その主要な批
評的関心の的を文学の文学たるゆえん、言い換えれば、文学
的言語をその他の日常言語から区別する技法や決まりごと、
つまりは文学を成立させている形式面、ロマーン・ヤーコブ
ソンの言葉にならえば、「文学性」（literariness）を徹底的に
掘り下げることに定めていました。ヴィクトル・シクロフス
キーはこの「文学性」の概念を芸術が本質的に共有する「異
化」（defamiliarization）、すなわち見慣れた日常的な光景を

見慣れないものとして提示することに結びつけて考えました。ちなみに、シクロフスキーとともにモスクワ言語学サークルの創立メンバーであったヤーコブソンは、すべての言語活動がメタファー（metaphor=類似にもとづく比喩表現）とメトニミー（metonymy=隣接にもとづく比喩表現）のどちらかを指向するという、二項対立的図式にもとづいた斬新な理論を提唱し、ロシア・フォルマリズムと構造主義の橋渡しをする役割を果たしました。

　ここで物語論の主要概念との関連もあり付け加えておきたいのは、ロシア・フォルマリストたちの想定した「物語」の定義についてです。ただしここで問題になるのは、物語の一般的な定義ではなく、いわゆる「筋」（プロット=plot）のことです。シクロフスキーは、ストーリーとプロット、ロシア・フォルマリズムの用語では、ファーブラ（fabula）とシュジェート（sjužet）を厳密に区別しました。この２つの用語については、また後で詳しく触れますので、覚えておいてください。

　さて、もうひとつロシア・フォルマリズムの代表的文献であるウラジミール・プロップの『昔話の形態学』（1928年）についても紹介しておきましょう。プロップはロシアの民話を精密に分析して、数多くの物語に共有される特徴を見出しました。その共通項とは、物語に登場するキャラクターの「行動領域」を７つの役割に集約できること、また物語を構成する基本要素として31の機能が連鎖していることです。こうし

たプロップによるロシア民話の機能分析は、物語の構造分析の起源であると考えられることがよくあります。実際のところ、プロップの仕事はその後フランス構造主義物語論学者A・J・グレマスの行為項モデルによる物語中の役割の類型論や、クロード・ブレモンによる物語的可能性にもとづくプロット分析の理論的出発点となっています。ロシア・フォルマリズムとフランス構造主義との間には、物語論の発展をあとづける上で重要な影響関係が見出せることは、ここまでみてきたことからもわかるように、物語の構造に初めて注目したのがロシア・フォルマリストであったのですから、当然のことといっていいでしょう。

　ロシア・フォルマリズムからフランス構造主義への流れを理解するために、もうひとつ知っておきたい理論が「記号論」（semiotics）です。アメリカの哲学者チャールズ・パースの著作にその起源をさかのぼることのできる記号論は、意味するものと意味されるものとの関係についての理論化をめざし、記号を3つに分類しました（イコン、インデックス、シンボル）。詳細に語ることはここでは避けますが、記号論の基本的な考え方は、スイスの言語学者フェルディナンド・ド・ソシュールの仕事をつうじて構造主義物語論の中に定着していきました。ソシュールが構造主義物語論に与えたもっとも大きな影響は、言語が記号の体系にすぎず、意味するもの（シニフィアン＝英語ではsignifier）と意味されるもの（シニフィエ＝英語ではsignified）との関係は恣意的であることを喝破

した点にあります。このように、意味作用とは差異の機能にほかならないという理論的姿勢が、構造主義物語論における物語構造の分類と体系化を可能にしていることを覚えておいてください。

　ところで、「物語論」という語を最初に使ったのはツヴェタン・トドロフで、『デカメロンの文法』（1969年）という研究書の中であったことが定説となっています。ブルガリア生まれのフランスの文学理論家であるトドロフは、物語中のさまざまな出来事の連続を統御する論理に注目し、作中人物を類型化する分析方法を確立した学者です。ボッカチオの『デカメロン』や数々の幻想小説を個別のテクスト資料として分析し、文学一般の性質の記述を試みたことで知られています。なかでもトドロフは、文学作品が共有する相（aspects）をセンテンス文法規則になぞらえています。それらは、動詞相（verbal aspect）、統語相（syntactical aspect）、そして意味相（semantic aspect）の3つで、このうちとくにトドロフが重視したのは統語相です。統語とは、要するに文ができあがる仕組みのことです。すべての言語を形成する普遍的文法規則といえるものがあり、文の集まりとして構成される文学作品にもそれが刻印されているとトドロフは考えました。『デカメロンの文法』では、こうした理論的関心を軸に、ボッカチオの物語に現れた文学の一般的構造が考察されています。このような物語構造の共通性を探る研究のことを、トドロフは「物語の科学」、すなわち「物語論」と呼んだのです。

基本的に物語論とは、構造主義の考え方にもとづいて、物語の構造を、すでに言及しましたが、二項対立（binary opposition）という概念で類型化した理論的考察であることを、その特徴として覚えておくとよいでしょう。つまり物語論には、そのはじまりからして、構造主義の時代以前の文学批評にあった主観的考察を可能な限り排除したいという願望を土台に、「科学的」な記述による客観的物語分析をめざすという大きな目的がありました（これは今となってはかなり理想というより幻想に近い考え方ですが）。ちなみに、前にも触れたように、こうした構造主義的物語論は「古典的物語論」と呼ばれるようになりました。もちろんここで想定される理論的モデルは、物語テクストがすでに完成して変化することのない固定的存在物であり、それを受容する読者は、これもすでに述べましたが、内包された読者とも呼ばれる、物語があらかじめ想定した読みの反応をする仮想の、これまた固定的で不変の存在とされます。

　ただし、構造主義物語論の提案する理論体系は必ずしも使えないものばかりではありません。たとえば、シーモア・チャットマンはアメリカの古典的物語論者のひとりでしたが、彼は文学作品以外のジャンル／メディアにも物語分析の方法論が適用可能であること、またストーリーの構造はいかなるメディアからも自律していると考えた点で、新しい物語論の考え方につながる知見を提示したといえます。こうしたことからも、現在も重要な物語論のひとつとしてのチャットマン

の理論的価値は十分にあります。なお、現代の物語論研究者のうちマリー＝ロール・ライアンは、チャットマンのこうした考え方をさらに発展させて、ストーリーはテクストに反応する解釈者によって形作られる認知的構築物（cognitive construct）、つまりライアンの表現にならうなら、「メンタル・イメージ」であると考えます。まさにこの点に、物語テクストの構造分析を主体とした研究と、物語の受容者（読者や観客、視聴者、ゲームのプレイヤーなど）による積極的な解釈という戦略的な次元が融合することによって、物語表現メディアの多様化に対応し、受容者の認知的側面に焦点を当てた新たな物語論が発展的に生まれる契機がありました。後で詳しく述べますが、この本で提案する物語更新理論は、ライアンの「メンタル・イメージ」の概念を援用し、その記憶が物語の受容者／創造者の間で共有または差異化される「ワールドネス（世界性）」（=worldness)として認識可能な「ストーリーワールド」（詳細については後述します)の（再）概念化に作用する点に着目して理論化を進めています。

　ところで、物語を動態的で流動的なものとしてその受容と生成を考える物語研究の第一人者であるデイヴィッド・ハーマンは、現代の物語論を、すでに述べましたが、英語を直訳すると「古典主義以降の物語論」（postclassical narratology）と名付けました。この呼び方については最初にも触れました。訳語の問題はともかく、物語論は今もその理論的意義を失うことなく、フォルマリズムや構造主義文学理論にはじまる物

語分析の伝統を受け継ぎつつ、新たな側面を付け加えながら、より豊かに発展をつづけているのです。文学研究の科学をめざした構造主義の時代が、その後「脱構築」(deconstruction：西洋思想の根幹を形成してきた諸概念の土台を揺るがし、覆すことで表象対象の解体と再構築の可能性を探ること)と呼ばれる西洋哲学思想の根幹を揺さぶるパラダイムシフトを誘発したポスト構造主義の時代へと移り変わり、また文化研究(カルチュラル・スタディーズ)が文学研究に変化を生じさせている間に、物語論にもさまざまな方向性の変化が加わり、多様化していきました。実際、1980年代の精神分析、フェミニズム、ポストコロニアル批評などといった文芸批評理論の盛衰と呼応しながら、さらに1990年代以降は、可能世界、情報、メディアテクノロジーをベースとした分析方法、言語学、歴史学、認知科学、経験主義など諸分野の学問との相互的応用によって、物語研究における理論／実践的パラダイムはますます拡大と多様化の様相を呈しているといっていいでしょう。

　残念ながら、こうした物語論をめぐる現在までの発展の歴史と展望についてそのすべてを網羅して語るいとまはありません。そこでここでは最近の物語論の展開例のうち２つの分野に絞って紹介したいと思います。その２つとはトランスメディア物語論（transmedial narratology）、そして認知物語論（cognitive narratology）です。

　トランスメディア物語論とは、物語の構造が、あるメディ

アから別のメディアへ移行するプロセスを経てどのように変化するかを研究する学問です。もともと物語論は文学研究を越える文学理論の科学をめざしていました。これに対して、さまざまなメディアを横断して物語が表現される際に、それがどのように転移、変化し、新たな意味を帯びるかを考察すること、この点にトランスメディア物語論のポイントはあります。物語表現をサポートするメディアに固有の特質が物語の形態やそれを経験するあり方に影響を及ぼすのかを研究するわけです。多様化した物語表現のあり方に対応して、文字媒体だけでなく映像、音声、身体表現などさまざまな表現手段をとおして物語がどのように表象されるかを分析し、物語行為の動態性を再定義することがめざされるのです。このように、トランスメディア物語論ではインタラクティヴ（物語と受容者との間の双方向的）な物語形態、あるいはコミック（マンガ）で利用される言葉と画像のコンビネーションなどが、どのような制約やアフォーダンス（＝affordance: 物語と受容者との間に結ばれる意味伝達のあるべき関係性）をストーリーテリングのメディアに、また物語世界を構築するプロセスにもたらすのか、さらには単一あるいは異なる複数メディアにおいて物語世界を経験するプロセスを特徴づける条件は何か、こういった問題が研究の焦点となるのです。

　トランスメディア物語論ではさまざまな言語・メディアあるいはプラットフォーム（コンピュータ・ゲームのＯＳ［オペレーティングシステム］など物語表現の土台となるもの）をと

おして表現された物語がどのように意味を産出するのか、ま
たどのように解釈の実践が行われるのかといった問題が主要
な理論的考察の課題となっています。現代ではコンピュータ
やインターネットといった新しいメディアが発達し、複数の
コミュニケーションのモードを組み合わせた物語発信と受容
の可能性が複雑かつ多様化しています。トランスメディア物
語論者たちは、こうした新しい物語の特性について考察を重
ね、それらが記号論的にどのような理論的機能を発揮して現
代の物語言説として運用されているかを掘り下げているので
す。

　さて、トランスメディア物語論の関心と物語更新論との関
連を考える上で、さきほども参照したデイヴィッド・ハーマ
ンによる「ストーリーワールド」の概念についてここで紹介
しておきましょう。ストーリーワールドとは、物語の受容者
の内面に形成される、ある種のメンタル・モデルであり、誰
が誰にどこでどのように何をするかに関して語られる状況や
出来事の総体を指すと定義されます。物語は（小説であれ、
映画であれ、ゲームであれ）受容者の内面に形成される物語
世界のイメージとして定着してはじめて受容されるのであり、
そうしたイメージの創造と修正は、物語の受容の経験に応じ
た可変的な見取り図のようなものとして想定されています。
ストーリーワールドの概念も物語更新論の理論形成に向けて
重要な概念となりますので、覚えておいてください。

　次に、もうひとつの認知物語論について簡単に説明を加え

ておきましょう。まずは認知物語論そのものについて語る前に、認知科学と呼ばれる学問体系全体について確認しておきたいと思います。認知科学とは、ひと言でまとめるなら、人間の知の性質とはどのようなものであるかという問題に関心をもつ学問で、人の知が現実理解や価値観の形成にどのように作用するのかを解明しようとする学際的ないくつかの研究分野の統合的学問のことを指すと考えればわかりやすいと思います。学際的といいましたが、それは哲学、人類学、言語学から心理学、神経科学さらには人工知能研究にいたる広範な研究領域がたがいに結びつきながら、認知の問題を多角的に検証しているからです。

　なかでも、文学を人間の認知的側面から研究する学問のことを認知物語論といいます。認知物語論はとくに認知言語学を理論的土台としています。認知言語学は、言語の構造や解釈を、知覚や認識、記憶や言語能力といった人間が一般的に共有する認知能力との関連で研究する学問です。要するに、認知的視点から行動や出来事に対する人間の知覚の問題に焦点を当て、物語テクストの伝達と、人間の基本的認知メカニズムの相互関係を研究するのが認知物語論と考えればよいでしょう。

　前にも触れましたが、物語論の分野ではとくに 1990 年代以降、物語の性質、形式、機能などを記述することをめざしたそれまでの構造主義物語論の有効性が疑問視されるようになりますが、そのような流れになっていったのは、認知主体

である人がどのように世界を「認識」するかという問題が、物語の理解と構築がどのように行われるのかという問題への関心と結びついて、従来の物語論では見過ごされてきた受容と創造をめぐる問題の見直しを促したことと大いに関係があります。認知物語論が認知言語学に依拠する形で発展しつつ、構造主義物語論を見直すことにつながっていったのは、こうした経緯があったからです。

　以上のことからもわかるように、もちろんここでいう認知とは、人間を取り巻く世界の理解とその意味づけにかかわるあらゆる経験にまつわる行為のことを指します。つまり認知物語論においては、物語テクストの生成と受容者による認知過程を包摂する文化的現象が主要な研究対象となるということです。この点からみれば、可能世界論と人工知能研究、そしてヴァーチャル・リアリティ(仮想現実)の概念を用いて構造主義物語論の見直しを迫る前述のマリー＝ロール・ライアンによる洞察に富んだ研究は、言語行為論を取り入れつつ、認知的視点を交えて、物語テクストの伝達についての意味論を展開させており、新たな物語行為論とも呼べる画期的な理論を建設的に提案した点で、独創的かつ斬新であったといえます。またモニカ・フルーダニクは、社会言語学の談話分析を参照することで、日常会話の中に自発的に創造される現実の経験談なども「物語」として対象化し、受容者がきわめて広範囲な物語テクストの読解と創造に積極的かかわっている点を論証しますが、これもまた認知物語論の発展を考える上

で見逃せない研究です。ちなみにフルーダニクはこれを「『自然』物語論」("natural" narratology)と呼び、物語性の起源を現実世界での体験にもとづく「経験性」(experientiality)に求めています。物語テクストの解釈にフレーム理論を応用し、たとえば「スクリプト」(定型的な事象の記述)といった概念を用いるなど、フルーダニクの理論的考察と認知物語論との関連性が高いことは明白です。ライアンとフルーダニクの2人による研究をここに紹介する根拠は、以上のように認知物語論そのものの理論的業績とはいえないかもしれませんが、少なくとも認知科学的観点が具体的にどのように物語論の新たな展開に貢献しているかを示す有力な実例にほかならないという点にこそあります。

4．物語更新とは何か？

　私たちは多様な物語経験をします。文学作品に限らず、映画やアニメ、ゲームにも「物語」があります。このように、ジャンルやメディアを越えた「物語」がどのように、どんな条件のもとに定位可能であるかを考えるところに、現在の物語論の共通の関心はあります。では、ここまでに紹介した物語論の歴史とその発展が、私の提案する物語更新理論とどのようにかかわっているのか説明していきたいと思います。その前に、まず「物語更新」の概念について考えてみることにしましょう。

　2016年に日本でも公開された『白鯨との闘い』（2015年）という映画作品があります。これは　2000年に発表されたナサニエル・フィルブリックの『復讐する海　捕鯨船エセックス号の悲劇』を原作に、ロン・ハワード監督が映像化（クリス・ヘムズワース主演）した作品です。ちなみに、２つの作品の邦題は異なっていますが、もちろん原題はどちらも *In the Heart of the Sea* です。さてこの『白鯨との闘い』ですが、いったいどんな作品と関係があるのか、もちろんタイトルを見ていただければわかります。そうです、キーワードは『白鯨』、19世紀のアメリカ作家ハーマン・メルヴィルが書いた『モービ・ディック』（1851年）のことです。言わずと知れたアメリカ文学を代表するといってもよい巨編小説ですね。巨大な白いクジラ、通称モービ・ディックによってかつて片足を

食いちぎられたエイハブ船長が、その圧倒的カリスマ性を発揮して捕鯨船ピークォド号を駆り、多くの船員たちをその数奇な運命に巻き込みながら、ついにはモービ・ディックとの死闘の末に敗北し、ただひとりの生存者(語り手のイシュメール)を残して、ほとんどの船員たちもろとも、大海原の藻屑と消えるという物語はあまりにも有名です。

　実はメルヴィルがこの作品を構想した元ネタがあったという歴史的事実をノンフィクションとして語り紡いだのがフィルブリックの原作およびその映画版『白鯨との闘い』なのですが、これはまさに、直接的ではないとしても、やはり『モービ・ディック』の物語更新にほかなりません。というわけで、ここでは『モービ・ディック』と『白鯨との闘い』との物語更新的関係性について少し考えてみたいと思います。時系列的に見れば、メルヴィルは1819年の捕鯨船エセックス号にまつわるエピソードに触発されて『モービ・ディック』を書いたというのが、正しい歴史の流れということになります。しかし、『白鯨との闘い』は1819年の出来事を扱っているので、物語世界の中では、あくまで1851年の『モービ・ディック』に先行しています。したがって、実際にこのノンフィクションが書かれるにあたっては、『白鯨との闘い』は『モービ・ディック』の物語内容へとつながるインターテクスチュアルな伏線がなければストーリーとして成立しえなかったはずですし、そのことは、作中にメルヴィル本人が登場してくること、また本作に付された数々の注釈に、ことあるごとに『モー

ビ・ディック』への言及があることからも読み取れます。つまり、単純化を承知の上であえて主張すれば、フィルブリックの原作とその映画版『白鯨との闘い』は、もとをただせば、変則的ではありますが『モービ・ディック』のひとつの物語更新であると考えられるのです。

　まったく別の例をあげてみましょう。たとえば、『機動戦士ガンダム』。そのうちいわゆる「宇宙世紀シリーズ」、とくにファンからは「ファーストガンダム」と呼ばれ、後に劇場版も製作されたテレビ・アニメ『機動戦士ガンダム』（1979-80年）は、この作品でキャラクター・デザインを手がけた安彦良和によるコミック・アダプテーション『機動戦士ガンダム THE ORIGIN』（2001-11年）として、またさらにこのコミック版をもとにして、2015年より製作・公開がはじまったアニメ版（第1〜6作『青い瞳のキャスバル』、『哀しみのアルテイシア』、『暁の蜂起』、『運命の前夜』、『激突ルウム会戦』、『誕生赤い彗星』）への物語更新が進展しました。アニメ版はここまでで製作が中断、もしくはいったん終了していますが、たとえそうだとしてもここから、コミック原作の該当箇所につなげて、ストーリーワールドを融合させて考えることもできますし、あるいはファーストガンダムにそのままつなげることも可能です。物語更新の継続的プロセスのなかで、関連しあうストーリーワールドは、物語の受容者／創造者のあいだでどのようにも変化し結びつき合いつづけるのです。

　ところで、『機動戦士ガンダム　THE ORIGIN』はもちろん

ファーストガンダムの物語内容をふまえて書き下ろされたものですから、その意味では原作は『機動戦士ガンダム』と考えるのが自然です。実際、コミック版『THE ORIGIN』の表紙には「原案 矢立肇・富野由悠季」とあります（ついでながら、「メカニックデザイン 大河原邦男」のクレジットも確認できます）。「原作」と「原案」の違いについては、この本の主旨からは外れることになりますので詳述は避け、ここでは簡単にまとめるにとどめておきましょう。要するに「原作」と「原案」はアダプテーションと原作の物語内容との結びつきの程度に違いがあることを反映していると考えておけばいいでしょう。「原案」からのアダプテーションは、「原作」表記のそれよりも物語内容的なリメイクの度合いが自由なのだとも解釈できるかもしれません。ちなみにアニメ版のエンドクレジットには、「原作」と「漫画原作」が並記されています。

　『THE ORIGIN』の物語内容は全体的にはファーストガンダムの世界観をふまえた構成になってはいますが、キャラクターやメカの設定から物語展開に至るまで自由に再創造の行為が実践され、これまで「ファーストガンダム」シリーズが形成してきた物語世界を補完／拡大することに貢献しています。『THE ORIGIN』はファーストガンダムの物語世界を「原案」として、かなり自由なアダプテーションのプロセスを経た物語更新を実践しているのです。原作アニメのさまざまな台詞を引用として取り込みながら、その物語内容を柔軟に作り変えていく、文字どおり「オリジン（原点・原典）」と呼ぶ

にふさわしい、再創造的なリメイクをこの作品は果たしているといっていいでしょう。

　もうひとつだけ別の例をあげてみましょう。取り上げるのは、現代アメリカ作家ジョナサン・サフラン・フォアの第1長編小説『エブリシング・イズ・イルミネイテッド』（2002年）とその映画アダプテーション『僕の大事なコレクション』（2005年。監督・脚本はリーヴ・シュライバー）。ちなみに映画版の原タイトルは *Everything Is Illuminated*、原作小説と同じです。まず確認しておきたいのは、『僕の大事なコレクション』は原作のエッセンスをうまく生かしたアダプテーションであるということです。シュライバー監督はフォアが『ニューヨーカー』誌に発表した原作小説の抜粋にインスパイアされたと発言したことが記録されています。ただし、原著で 250ページを超える分量の物語を1時間半あまりの映画に移しかえるのがひじょうに困難であることはいうまでもありません。したがって、映画版の物語は原作では手紙のやりとりという形で前景化して叙述されている2人の語り手（アレックスとジョナサン）の対話的関係を単純化することでアダプテーションとしての独自性を打ち出しています。ちなみに、映画版翻訳タイトルの「僕」とはジョナサン（演：イライジャ・ウッド）のことであり、だとすると主人公は彼であると考えるのが妥当なようですが、じつは映画版の物語での扱いは予想とは少々異なったものになっています。そもそも、ジョナサンの人物造型からして原作小説から読み取れる

ものとは微妙にずれている印象です。この点については、移動の車中場面として映像化されている以下のジョナサンとアレックス（演：ユージン・ハッツ）との会話を引用して検証してみましょう。この場面の物語的流れを説明しておきます。メモをとるためジョナサンが分厚い手帳を取り出したことに気づいたアレックスが、君は作家なのか、その手帳は何なのかと話しかけます。これに対してジョナサンは、自分は作家ではない、またこれは日記ではなく「カタログ」だと返答します。

> ジョナサン　どうして旅行社は僕が作家だなんて言ったのかな？僕は作家じゃないよ。まあ、ものは書くけど、作家というより……そう収集家かな、ほんとのところ。
> アレックス　じゃあ何を収集するのですか？

　２人の会話のすれ違いがおもしろいシーンですが、ここには原作小説からの重要な変更点が凝縮されています。まずジョナサンの「日記」が「カタログ」（収集品についての備忘録のようなものでしょうか？）となっています。そしてジョナサンが作家のキャリアを否定して、「収集家」であると自分自身を規定していることです。原作のジョナサンは作家志望の若者ですが、映画アダプテーションでは自分にかかわる「もの」をなかば強迫観念的に収集するコレクターとしての個性のほうが誇張的に際立っているのです。
　さらに重要なのは、主人公の人物造型を改変した物語更新の方向性です。映画アダプテーションは、原作の一部であっ

たアレックスによる旅の回想を中心に構成されています。見逃してはならないのは、執筆中のアレックスの映像と語りから映画がはじまっているということです。執筆する彼の姿に画面外の声が重なり、進行役（語り手）がアレックスひとりであると映画の冒頭部から受容者に印象づける仕組みになっています。ちなみに映画は、『エブリシング・イズ・イルミネイテッド』という物語をアレックスが書き上げて終わります。

『白鯨』と『ガンダム』、そして『エブリシング・イズ・イルミネイテッド』というまったく異なる物語を取り上げましたが、いずれの場合にも共通しているのは、原作とその派生作品との間に、相互につながり合う要素が絡み合っているということです。簡単にいえば、それがインターテクスチュアリティ（intertextuality）なのです。インターテクスチュアリティとは、間テクスト性、あるいはテクスト相互関連性とも呼ばれる概念です。ただし、その相互関連のあり方はさまざまです。他にもいくつかインターテクスチュアリティを例証する作品を紹介しましょう。まずは作品名が他の作品から着想されたものとしては、ヴィヴィアン・リーとクラーク・ゲーブル主演による映画化（1939年）で知られるマーガレット・ミッチェルの『風と共に去りぬ』（1936年）があげられます。この作品タイトルにはまったく別の言葉が反響しています。「風と共に去りぬ」（Gone with the Wind）という表現は、実は19世紀イギリス詩人アーネスト・ダウソンの詩「シナラ」からとられたものです。もっとも、作品と詩の内容との間に

はとくに明白な関係性はありません。アメリカ作家ジョン・スタインベックの『二十日鼠と人間』(1937年) のタイトルも同様に、18世紀のスコットランド詩人ロバート・バーンズによる、「二十日鼠と人間の周到な計画も、しばしば抵抗にあい、悲哀と苦痛が残るばかりだ」という詩の一節から着想され、それを題名として取り込んだものです。また、アーネスト・ヘミングウェイの『誰がために鐘は鳴る』(1940年) は、イギリス17世紀の形而上詩人ジョン・ダンの『瞑想録』(1624年)に収められている「死にのぞんでの祈り」の一節、「われもまた人の子なれば、人の死に心痛む。それゆえにこそ、問うなかれ、誰がために鐘は鳴ると、汝がために鐘は鳴るなり」からの引用をふまえたものです。この内容をモチーフとして取り入れることによって、人は等しく死を運命としてわかちあっており、死に臨んでそれを自覚するものであることを主要テーマとしたヘミングウェイの物語テクストは形成されているのです。

　次にタイトルそのものというわけではありませんが、作品の一部がインターテクストとして使われる例をアメリカのポピュラー・カルチャーからひとつあげ、もう少しインターテクスチュアリティについて考えてみましょう。たとえば、ビング・クロスビー主演の映画『ワイキキの結婚』(1937年)。劇中でクロスビーが歌う挿入歌のひとつに「ブルー・ハワイ」があります。後にこの曲をモチーフとして新たに製作された映画が、エルヴィス・プレスリー主演の『ブルー・ハワイ』

（1961年）です。一見するところ、『ワイキキの結婚』と『ブルー・ハワイ』との間には直接的なインターテクスチュアリティは存在しないように思われます。しかし、実際には今説明したように、プレスリーの歌う同名主題歌「ブルー・ハワイ」が単なるクロスビーのカヴァー曲であるだけでなく、異なる2つの映像作品をつなぐ役割を果たしていることがわかります。カヴァー曲のタイトルをそのまま映画のタイトルとしたことは、この2作の相互関連性をある意味で可視化させていることになるのかもしれません。『ワイキキの結婚』と『ブルー・ハワイ』には、カヴァー曲が異なる物語を結びつけるという、原作とその派生作品を対象とするアダプテーション理論ではとらえきれないインターテクスチュアルな関係性があるのです。

　作品タイトルに関連したインターテクスチュアリティだけでなく、物語そのものがインターテクストとしてふまえられている作品もあります。すでに引き合いに出したスタインベックのもうひとつの代表作『エデンの東』（1952年）は、旧約聖書の創世記第4章で描かれるカインとアベル兄弟の確執から、弟殺しの実行後にカインがエデンの東へと逃亡するまでの物語をモチーフとして、舞台をカリフォルニア州サリナスに再設定する形で語り直した物語という側面をもっています。聖書の物語内容を20世紀アメリカ西部の物語に置き換えるこの小説の試みは、単なる物語の反復ではなく、父親の愛情を求める息子たちの葛藤を、反発から和解へ向かうものと

して積極的に読み換えています。ちなみに『エデンの東』はジェイムズ・ディーン主演の映画化作品としても知られています。

　アイルランドの小説家ジェイムズ・ジョイスの『ユリシーズ』（1922年）は、古代ギリシア詩人ホメロスの『オデュッセイア』を素材として、20年にわたるオデュッセウスの苦難の旅路を、アイルランドのダブリンを物語の舞台に設定して描き直す壮大なパロディ小説として再構成されています。物語は1904年のダブリンで起こるわずか1日の出来事を、主に3人の人物による朝から夜半までの意識の流れをつうじてたどります。主人公レオポルド・ブルームは、英雄オデュッセウスになぞらえられるキャラクター。オデュッセウスの息子テレマコスは22歳の詩人スティーヴン・ディーダラスに、また貞淑な妻ペネロペイアはブルームの浮気な妻であり歌手のモリーにそれぞれ置き換えられています。

　アルゼンチン作家ホルヘ・ルイス・ボルヘスの「『ドン・キホーテ』の著者、ピエール・メナール」（1939年）も興味深いインターテクスチュアリティをもっています。『ドン・キホーテ』（正編　1604-05年、続編　1615年）といえば、もちろん17世紀はじめにスペイン作家ミゲル・デ・セルヴァンテスが騎士道物語をパロディ化した小説のことです。ボルヘスの物語では、『ドン・キホーテ』はピエール・メナールという名の20世紀の作家が、本家セルヴァンテスになりきって、一字一句完全に同じ物語を作り出すという設定で書かれた未完の小説

ということになっています。この物語は究極のパロディ小説であると同時に、まったく同一であるはずのテクストが時代や文化そして作者といった作品にとっては周辺的な条件が変更されることで、必然的に変容していく過程を鮮やかに描き出しています。もとはといえば、騎士道物語のパロディ・テクストにほかならない『ドン・キホーテ』を、ボルヘスの「ピエール・メナール」はさらにもうひとひねりパロディ化したインターテクストといってもいいでしょう。

　インターテクスチュアリティの話が先行しすぎて順番が前後してしまいましたが、ここで「テクスト」の概念について説明を加えておきたいと思います。まずテクストとは伝統的な意味での「作品」とは異なることを理解してください。テクストの語源はラテン語の「織物」（英語の texture）ですが、その織物を形作っている無数の言葉の連鎖として概念化してとらえることが大切です。テクストとは、普通はあらゆる種類の書かれた文書のことを広く意味しますが、文学理論では、伝統的な作品という概念に代わって、次のような定義を与えられます。ブルガリア出身のフランスの批評家ジュリア・クリステヴァは『セメイオチケ』（1969年）に「閉じたテクスト」という論文を発表していますが、その冒頭でテクストの定義として以下のような提案をしています。それによると、「テクストとは、直接情報を伝えることをめざすコミュニケーションのための言葉を、それ以前または共時的なさまざまな言表に関係づけることによって、言語秩序を再編成する言語横断

装置である」とされています。また、クリステヴァの指導教授であったロラン・バルトも作品とテクストとの概念的差異、またテクストの定義づけについて次のように述べていますので、引用してみましょう。バルトにとって、テクストとは「あるディスクールにとらえられて……ある作業、ある生産行為のなかで」経験されるものとされます。「作品は一個の記号内容によって閉じられる」のに対して、テクストは、「記号内容を無限に後退させる、あるいは延期させる…… 記号表現の場」であり、「意味の複数性そのものを実現するということ」だとバルトは述べます。要するに、テクストとは単一的で一様な秩序にはもとづかない記号の集合体です。こうしたテクストの概念のもとでは、唯一の意味を具現化した「作品」も、作品の起源とされてきた作者の特権性も無効化されるということを理解しておいてください。

　それではインターテクスチュアリティの概念についての話に戻りましょう。インターテクスチュアリティとは、今述べたようなテクスト概念を応用して考えれば、物語テクストと別の物語テクストとをつなぐさまざまな関係であるということがより明確に理解できるでしょう。もう少し言い換えて、たとえばこうまとめてみたらどうでしょう。インターテクスチュアリティとは、テクストの意味を他のテクストとの関連から見出すこと、あるいはテクストが本質的にはらんでいる意味の多層性のことであると。ついでながら、inter という接頭辞は between、つまり「何かと何かの間」を表すという

ことも確認しておきましょう。

　インターテクスチュアリティはテクストの意味を他のテクストとの関連から探ることにより理解されます。つまりインターテクスチュアリティとは、ある物語テクストが先行する別の物語テクストを参照したり借用したりする創作の実践、あるいはそのようにして形作られる物語の本質のことなのです。このことについて最初に言及した人物は、上で述べたクリステヴァです。ソシュールの構造主義言語学と、文学の複層性を対話理論（dialogism）や小説のポリフォニー（polyphony）論、またカーニバルの概念によって喝破したロシアの文芸批評家ミハイル・バフチンの文学理論を融合するクリステヴァの試みは、物語論にとって重要な業績であることをここに付け加えて述べておきたいと思います。あらゆるテクストにオリジナルは存在しません。はじめに言葉ありきと聖書には書いてありますが、言語を土台として生成されるテクストにその起源を求めてもそれこそ意味がありません。文学的オリジナリティなどそもそも存在しないというのは、ある意味で衝撃的な考え方ですが、あらゆる文学は先行する作品と相互的な関係を取り結んでいると考えるのは、実際により適切で肯定的な文学や物語の理解のしかたなのです。あらゆる文学が、先行するテクストに対して、こうした宿命的な関係性から逃れることができないことを否定的にとらえるのではなく、異なるテクストどうしの自由で柔軟な結びつきを楽しめばよいのです。

ここでついでに確認しておきたいのですが、構造主義文学理論は言語の起源を追求するのではなく、物語を生成させる意味作用のモデルを構築することをめざしました。前にもふれたように、ソシュールにはじまる構造主義言語学の発想では言語の通時的側面よりも共時的構造が、また記号内容よりも記号表現が重視されています。これが記号論的な構造主義批評理論と結びついていったことはすでに話しました。こうした文学理論の流れの中で、言語そのものを所与の存在と規定するのではなく、さまざまな言説の交錯する場として物語をとらえ直す考え方が、現実を客観的に映し出す透明な鏡として作品をみるのではなく、多様な言語が絡み合って織りなす複雑な構造体としての物語テクストの概念を形成する契機となっていったのです。物語とは恣意的な記号の集合体である言語の組み合わせによって形作られるものであり、物語を生み出したとされる作者の意図や、物語がもつ意味の完結性とは無縁の構造体なのです。つまり、物語テクストの生産する意味とは作者との関係からは完全に独立したものであり、完結した唯一の意味をもち、それを消費することだけが求められる伝統的な意味での作品とは異なります。テクストの概念は物語の受容者の解釈による意味生産との相互作用を経て、いくらでも変容する可能性を秘めています。物語テクストとは、それを形成するあらゆる記号の戯れをとおして、それこそ無限に意味が生産される場なのです。
　それではあらためてインターテクスチュアリティの概念と

物語更新とが具体的にどのように結びついていくのか考えてみましょう。クリステヴァは、物語の受容の際に、受容者の意識には先行する別のテクストによる影響があらかじめ刻まれており、そのためにテクストの伝達と理解のプロセスには何らかのコードからなるフィルターが存在し、そのフィルターを通過することが物語経験の前提となると考えました。物語経験には、他の先行するテクストの意味を不可避的に読み込むことがともなうというわけです。私たちはつねに別の先行テクストがあらかじめ形成した意味と、それを取り囲むさまざまな含意のネットワークの中で物語を受容しているのです。

　このように、インターテクスチュアリティには作品名から物語に関連する要素など、さまざまな参照項目が含まれています。それらが何らかの形で継承／共有されることで異なる物語間に結びつきが生まれるのです。これこそ、私が「物語更新」と呼ぶ文化的現象です。ではここからは物語更新とはいったい何なのか、またそのプロセスとはどのようなものなのかを突き止めていきたいと思います。以下では、さまざまなメディアやジャンルへ作品が増殖、拡大してきわめて多様な状況の中にある「物語」のありようを包括的に捉えるための理論の提案を行います。

　まずは基本的定義を確認しましょう。「物語更新」とは、文字どおり物語を新たに作り変えることを意味します。さらに重要なことは、この用語は物語が更新されるプロセスと同時

に、更新された物語そのものも指すということです。このあたりについては、リンダ・ハッチオンが定義した「アダプテーション」を引き合いに出すことで理解できるでしょう。ハッチオンはアダプテーションを次の3点に集約して定義しています。

・認識可能なひとつまたは複数の別作品の承認された置き換え
・私的使用もしくは回収する創造的かつ解釈的な行為
・翻案元作品との広範なインターテクスト的つながり

(ハッチオン『アダプテーションの理論』)

　物語の作り変えという現象にポイントを絞れば、アダプテーションと物語更新は重なるところがあるといえます。したがって、アダプテーションの定義は、部分的に物語更新の定義と同じであると考えてさしつかえありません。ただし、それだけでは十分とはいえません。ここでのアダプテーションの定義には、あくまで翻案元作品（いわゆる「原作」）と翻案作品（アダプテーション）との間の一対一の関係性が前提となっています。たとえひとつの翻案元作品に対して複数の翻案作品が、また原作が複数存在し、そこからひとつのアダプテーションが作られるという特殊な事例が想定されていたとしても、その場合も比較の対象となるのは、翻案元と翻案作品との一対一の関係性であることに変わりがないのです。
　これに対して物語更新の概念は、後で詳しく述べますが、原作／アダプテーションの関係性だけでなく、より広範囲に

物語の変遷をとらえるところに新しさがあります。たとえば、アメリカ映画『ウェストサイド物語』（1961年）が同名のブロードウェイ・ミュージカル（1957年）の公式アダプテーションであることは確認するまでもありませんが、シェイクスピアの『ロミオとジュリエット』（1595年）を下敷きにしたゆるやかなアダプテーションであると果たしていえるでしょうか。結論を急げば、厳密にはアダプテーションとはいえないというのが答えです。というのも、ハッチオンの基本定義のひとつ「承認された置き換え」（つまり、「原作〜」の明記）がなく、その意味では正式なアダプテーションではないからです。しかし『ウェストサイド物語』は『ロミオとジュリエット』の物語更新のひとつの典型であるとはいえます。たとえば、『ウェストサイド物語』では『ロミオとジュリエット』の基本的な舞台設定が概念的には引き継がれていることは明白です。実際、『ロミオとジュリエット』でのモンタギュー家とキャピュレット家との勢力争いは、『ウェストサイド物語』ではジェット団とシャーク団との対立に置き換えられています。また、14世紀イタリアのヴェローナを舞台とした貴族どうしの血で血を洗う覇権争いが、20世紀アメリカでのポーランド系とプエルトリコ系という異なる移民集団からなる非行グループの抗争に変更されているというわけです。とりわけ重要なポイントは、トニーとマリアの悲恋は明らかにロミオとジュリエットとの間に起こる出来事になぞらえたものであり、とくにこの2人が深夜にマリアの家の非常階段で「トゥナイ

ト」を歌いながらたがいの愛を確かめ合う場面こそ、後段の実践編でも『ロミオ＋ジュリエット』関連で触れますが、「バルコニー・シーン」を想起させる場面であり、このシーンはまさに典型的な「メンタル・イメージ」として、時代や文化を越えて生き延びた物語内容の中に更新された形で再現されているのです。

　「物語更新」を考察するうえでのいちばんのポイントは、私たちの物語経験がつねにある物語の受容／創造をともなったものであるということです。そこで前提となる物語経験のプロセスが、私たちは物語を受容する（小説を読む、映画をみる、ゲームをする）たびに、「ストーリーワールド」を読み取っているということです。ここにさらに「経験性」がかかわり、私たちは「物語性」を実感するわけです。ここで少し物語の更新を成立させる物語構造的な条件について確認し、そこから物語研究をめぐる新たな理論の構築をめざす際に考慮に入れるべきことは何かについてさらに考察を進めてみたいと思います。まず土台となる概念は、ストーリー（story＝物語内容）とディスコース（discourse＝物語言説）です。この２つの用語、あるいはこれに類似した概念を用いる理論家は多いのですが、ここでは、その区分条件や概念的洗練の点でいくらか問題をはらんでいるとはいえ、これまでのところもっとも単純明快に物語を成立させる審級区分を明確化したといえるチャットマンのものを採用したいと思います。

　しかしまずは物語更新をめぐる理論を提案するための準備

作業を行い、物語内容と言説をめぐる定義的確認をしておきましょう。そのために、前にも引き合いに出しましたが、ロシア・フォルマリズムの理論家が提案した物語の区別についてもういちど考えてみましょう。そう、すでに紹介したファーブラとシュジェートのことですね。ファーブラとは実際に起こったであろうと想定される順序にもとづいた物語、言い換えれば、作者がその後に加工を施す前の素材のようなものです。いっぽうシュジェートは、その物語の素材を作者が変形させてできた物語のことでした。英語では、この2つの概念は単純化して翻訳され、ファーブラはストーリー、シュジェートはプロットとされています。ただしこうしてしまうと、これまた前に言及したフォースターのストーリーとプロットと混同してしまいそうですが、必ずしも同じ意味ではありませんので、くれぐれもそうならないように気をつけてください。

ここで問題なのは、ロシア・フォルマリストのファーブラ（ストーリー）が、E・M・フォースターのこだわったように、厳密に時間順か因果関係的なのかは別にしても、少なくとも起こったとおりの順番で並べられた物語の素材、シュジェート（プロット）はその素材をもとにあえて出来事の起こった順序を並び替えたものであると、少なくとも理論的に受け取られてしまったことです。「理論的には」と断言しましたが、私たち物語論を研究する者は、素材と製品みたいな関係性でストーリーとプロットのことをとらえてしまってはいけません。ファーブラがシュジェートに先行するという考えは誤解

にほかならないからです。

　ひとつ例をあげてみましょう。アメリカの小説家ウィリアム・フォークナーの短編「エミリーへの薔薇」は、主人公エミリー・グリアソンの葬式の場面からはじまって、そこから物語は時間軸をさかのぼり、彼女の人生をめぐるさまざまなエピソードに焦点を当てながら展開します。時間的順序のそれこそ複雑な変化をともない、没落していく南部の一族についての物語が提示されるのです。たしかに私たち読者は与えられたプロット（シュジェート）からストーリー（ファーブラ）を組み立てながらテクストをたどっていくのですが、果たして作者フォークナーはヒロインであるエミリーをめぐる時間的連鎖にもとづいたファーブラ（物語内容の素材）をまず考えて、そこからシュジェート（諸事象の配列）を構成していったのでしょうか。そうかもしれませんし、そうではないのかもしれません。当の作家自身が半世紀も前に亡くなっていますし、今さら話など聞けるわけもありません。どのみち本当のことを語ってくれる保証もありません。しかし少なくともはっきりしていることは、物語として創造されるのは、やはりシュジェートにほかならないのであって、ファーブラではないということです。別の言い方をするなら、物語テクストとして存在するのはシュジェートであり、作者が創造したシュジェートが受容される過程で、前にも述べましたが、同時進行的にファーブラが受容者の解読によって理解されることで、もうひとつの物語テクストが生産されるのです。

さて、物語の素材と配置という２つの側面を表すファーブラとシュジェートの関係は、構造主義物語論では別の用語で説明されます。代表的なものは、イストワール（histoire）とディスクール（discours）です。これらはそれぞれおおまかには「物語内容」と「物語言説」という訳語に一致します。その他「物語言説」としては、レシ（récit）という用語も使われます。ここではあまり用語の細かい識別にこだわるのは避けたいと思いますが、忘れてはいけない大事なポイントは、「物語内容」を形成する出来事の連鎖が、たいていの場合は事後的、あるいは出来事の継起する世界とはどこか別の場所から報告されることがほとんどであるからといって、「内容」が「言説」に先行するわけではないということです。物語内容は物語言説を解読してはじめて形になる、つまり繰り返しになりますが、言説は内容に先行する、もしくは同時進行的にしか存在しえないのです。

　いささか脱線気味になってきましたので、ここで話をもとに戻しましょう。物語テクストは、その表現媒体が何であったとしても、内容と形式に区分して考えることができます。たとえば、すでに言及しましたが、これをチャットマンはストーリー（物語内容）とディスコース（物語言説）、つまり物語の「何」（what）と「方法」（the way）と呼びます。ただし、このように物語の内容と形式あるいは手段とを素朴に区別するチャットマンの考え方に問題がないわけではありません。前にも述べたように、物語内容は物語言説の前提ではな

く、物語言説と同時または後発的に存在する、ちょうど記号内容（シニフィエ）は記号表現（シニフィアン）があってはじめて想起されるのと同じ意味合いで相補的な概念なのです。それでもチャットマンの区別は物語更新のプロセスを考えるうえで有効な概念ですので、物語更新理論でも、適切に使用します。くどいようですが、あらためて注意しておきたいのは、ストーリーとディスコースは相互補完的な概念であり、決して前者が後者に先行して形成されるのではないということです。私たちは、登場人物（存在物）の織りなす事象（出来事）の抽象的総体である内容面（ストーリー）ではなく、あくまでその表現形式（ディスコース）をとおして物語を受容する、そしてその過程でストーリーを再構成する、もう一歩ふみ込んで説明すると、物語に存在すると想定される世界の全体像としてのストーリーワールドを記憶に残すのです。

この点に関連して、すでに参照したマリー＝ロール・ライアンのストーリー、すなわち物語内容をめぐる以下の見解を引用しましょう。「ストーリーは、物語のディスコースと同様に、ひとつの表象形態である。だがディスコースとは異なり、ストーリーは具体的な記号によってコード化された表象ではない。前述したように、ストーリーとはメンタル・イメージであり、存在物、また存在物間の諸関係についての認識的構築物である」。物語更新理論では、ライアンがここで述べている「メンタル・イメージ」の概念を敷衍して、受容者が物語を解読（デコード＝decode）した際に喚起される「認知的構

築物」であることに注目して、これをもとに物語が受容され再創造される継続的プロセスを理論化していきます。具体的には、物語更新理論ではメンタル・イメージを次のような概念として用います。すなわち、メンタル・イメージとは物語およびそれが拠って立つ世界全体（これを「ストーリーワールド」と呼ぶことはすでに説明しました）を総括的に代理表象するようなイメージ、言い換れば、私たちが物語を受容する際にそのメディア的特質とともに記憶する、物語内容を言い表す共通の記号的コアのことです。物語をデコードしストーリーとして記憶されるいくつかの「出来事」（物語の具体的場面）、「存在物」（登場人物・事物・背景）と、受容した物語を伝達するディスコースのメディア的特性（活字媒体なら言語表現、視覚媒体なら映像表現など）、こういったものを受容者はみずからの記憶に刻むことで物語を内面化するわけですが、そのようなデコードする行為をつうじて得られた物語の仮想的な時空間の全体、これが私たちにとってのストーリーワールドなのです。

　物語を理解するということは、すなわちディスコースを受容しストーリーに変換するということです。これを物語更新の実践に当てはめて考えるなら、ディスコースから変換されたストーリー、すなわちメンタル・イメージに還元された仮想の物語世界（ストーリーワールド）を特定のメディアへと転送し、そこから新たなディスコースに仕立て上げる、これが更新のプロセスであると考えられないでしょうか。だとす

れば、物語の受容者は物語内容を具体的なメンタル・イメージに還元して代理表象的に記憶し、それをもとに新たな物語テクストとして形にする、つまり、具体的な作品として創造し発信するかどうかは別にして、このイメージを拡張することこそが物語更新だといえます。物語更新においてストーリーワールドとメンタル・イメージは、物語の受容者にとって、物語の再現に必要不可欠な最低限の物語要素の選択と、それをもとにした物語の再創造の過程でたがいに密接にかかわりあっているのです。

5．ストーリーからストーリーワールドへ

　物語更新理論はあらゆるジャンルとメディアをつうじて伝
達される物語の受容とその(再)創造、またそれら一連のプロ
セスに注目します。もう少し具体的にいうと、物語更新理論
の基本姿勢は何らかの関連性をもつ個別の物語言説（ディス
コース）を、別の物語ではなく、同一の「物語」の更新とと
らえることです。物語の受容とは、理論的にいえば受容者（読
者、視聴者、観客、プレイヤーなど）がある物語のディスコー
スから物語内容（ストーリー）を内的に再構成する過程に相
当します。ストーリーはディスコースを受容することで理解
される物語の抽象的全体のことでしたね。構造主義物語論に
おいて、ストーリーは時系列と因果関係にもとづく物語の仮
想的事象の総体と定義づけられていました。ただし、このよ
うな物語の内容面を形成する事象の総体としてのストーリー
は、実際には何らかの形式で記述されない限り、物語の作者
または受容者が仮想する「認知的構築物」にとどまります。
このことが構造主義物語論においては考慮されていませんで
した。ストーリーは事象の総体ではあっても具体的な形がな
いのです。
　ストーリーを抽象的構造体としての所与の前提ではなく、
物語のディスコースを解読してはじめて認知可能な概念であ
ることに注目するのが、認知科学の知見を取り入れた認知物

語論でしたね。物語更新理論もこの点を支持します。しかし、物語の受容者がディスコースを解読して得られる物語の全体像をストーリーと位置づけるとしても、では具体的にそれはどのような形で私たちの記憶に刻まれるのでしょうか。この疑問はそもそも物語の内容面をつかさどるとされる「ストーリー」の定義を修正する問題とかかわります。なるほど、概念的にストーリーは物語の内容面全体をあらわすものであると定義上は位置づけられています。とはいえ、基本的には漠然とした物語の認知的全体像を表象するにとどまるストーリーを、物語の受容者はいったいどのような形で具象化して理解するのでしょうか。別の言い方をすれば、受容者は物語内容をどのようにとらえることで、物語を経験したと認識するのでしょうか。

　ところで、物語更新を先行する物語の作り変えの現象と定義するなら、その出発点は物語の受容にあることをいまいちど確認しておきましょう。上でみたように、物語の受容を裏書きするひとつの形がディスコースの解読によるストーリーの形成であるとみなすとしても、解読行為およびその過程をつうじて得られる物語の理解を具体的にどのようなものと考えればいいでしょうか。これには、たとえば受容者が物語の記憶を呼び出す、もしくは何らかの形で記述する、たとえばあらすじを友人に語り聞かせるような場合から、公式なアダプテーション作品として表現する場合まで、さまざまな条件を考慮する必要があります。そのことについてここで詳述す

ることは紙面の関係で避けますが、いずれにせよ受容者は物語の経験を具象化する際に、その素材として、より具体的な形で物語世界の全体像を再現表象することが可能な存在論的構築物を想定しなければなりません。私たちはそれを、物語論の最新のキーワードのひとつにならって、ストーリーワールドと呼称しましたね。ストーリーワールドは認知物語論および可能世界論の知見から生まれた概念であり、物語の事象、人物、背景、テーマなどあらゆる要素を統合した概念です。ストーリーワールドもまた、ストーリーと同様にやはり物語の全体像をあらわす統合的概念ではありますが、ストーリーがそうであるような、時系列および因果関係にもとづいた諸事象の抽象的連続体ではなく、われわれが現実世界を認識するのと同様の、あくまで存在論的な実体性をともなった全体像として物語の受容者に認知される「世界」です。物語更新理論では、抽象的で実体性をともなわない領域を含んだストーリーの概念の代わりに、ディスコースを解読して抽出された物語の全体像をストーリーワールドの概念でとらえます。ただし、物語世界において生起する事象の全体を時系列もしくは因果関係にもとづいて抽象化したストーリーが、そのはじまりから結末まですべてもれなく受容者の内的イメージとして具象化されるとは考えにくいですね。全体像といっても、それは存在論的全体とは異なるからです。物語の受容過程において、私たちは物語に生起する事象のすべてを網羅する完全体として再構成するストーリーではなく、その全体像を代

理表象する「ストーリーワールド」として、物語の再構成の際に必要に応じて呼び出し可能な形で記憶すると考えるのが妥当だといえます。

　ここで覚えておいてほしいポイントがあります。それは物語が固有にもつと想定される「ストーリーワールド」と私たちがそれぞれの物語経験をつうじて読み取る「ストーリーワールド」とは同一ではないということです。さらに言えば、私たちが同一の物語を経験するたびに、その「ストーリーワールド」は変わります。こうした「ストーリーワールド」のありようの詳細については、拙著 *Narrative Renewal Theory: A Brief Introduction* (2019) のとくに第3、4章を参照してください。

　さて、ストーリーワールドの概念は、受容／創造のどちらの過程にも重要な役割を果たします。ストーリーが理論的には物語ごとにひとつ想定されるのと同様に、ストーリーワールドもまた原則として物語ごとに同定されます。ただし、ストーリーワールドは同一とみなされる物語群に共有される概念としても機能します。またストーリーがあくまで時系列的な概念であるのに対して、ストーリーワールドは受容者が認知する存在論的時空間の全体像です。つまり受容者が物語のディスコースから読み取っているのは、ストーリーではなく統合的で全体的なストーリーワールドなのです。さらに物語創造の過程では、創造者の意識にある何らかのストーリーワールドの記憶が新たなディスコースの生成に作用している

と思われます。

　このように、受容者（あるいは創造者）が仮想的に構築する物語の全体像としてのストーリーワールドは、矛盾する言い方をするようですが、つねにその完全体を内的イメージとしてわれわれ物語の受容者が呼び出せるものではないのです。というのも受容者による物語の記憶は断片的なものとならざるをえないからです。つまり、断片的で不確定な記憶の産物であるからこそ、ストーリーワールドは物語の主要なプロットもしくは主題的関心を構成するいくつかの場面等を表象するメンタル・イメージとして呼び出されるのです。物語を受容する場合とまったく逆のプロセスが、物語を(再)ディスコース化する、つまり更新した物語としてアウトプットする際にも生じ、記憶から呼び出されたストーリーワールドあるいはその代理表象機能をもつメンタル・イメージが関与することで、物語更新のプロセスは進行すると考えられます。

　更新は小説や映画など物語の受容からはじまるわけですが、ここでいう受容とは、すでにふれたように、ディスコースからストーリーワールドを構築することにほかなりません。このプロセスが物語更新の第一段階であり、理論上はこれをデコードのプロセスに相当するものと考えます。異なる受容者が物語ディスコースをデコード（解読）して形成するストーリーワールドには、同一性とともに差異もまた必然的に含まれ、それがひいてはその後のエンコード作業（物語の再創造＝更新）にも影響すると考えられます。したがって、ディス

コースを解読した結果、差異を許容しない不変のストーリーワールドが取り出されるという考え方は幻想にすぎません。

　ストーリーワールドは、物語の受容者が程度の差こそあれ共通して認知可能な物語の存在論的全体像ですが、より具体的に説明すると、それは登場人物をはじめとするさまざまな存在物、その他の物語の背景や、物語中で生起する諸事象、さらには想定される物語の世界観や読み取り可能な主題的関心など、あらゆる構成要素を潜在的にふくんだ物語の総体のことなのです。ただし、物語の全体像としてあらかじめディスコースから存在論的に読み取られるストーリーワールドについても、物語のすべての受容者が同じ認知のしかたをするとは限りません。認知論的には、受容者が異なればストーリーワールドも異なると考えるほうが適切です。だからといって、前述のように、物語の受容者／創造者はこのストーリーワールドをつねに総体として認知および記憶から呼び出しているのではないわけですから、不完全な物語の経験あるいは理解に起因するからということがその理由として考えられます。またこれと関連して、受容者をめぐるさまざまな条件が異なるために、物語の経験／理解に個体差が生じること、またその影響が記憶されたストーリーワールドの呼び出しにも及ぶという理由によっても説明可能でしょう。

　しかしより重要なポイントは、その全体像の完全な記憶あるいはその呼び出しが相対的に困難であるストーリーワールドの記憶とその再現を、上に述べたように、人はより還元的

な形で、メンタル・イメージとして代理表象的に定着させているということです。メンタル・イメージとは、受容者自身が作り出す物語を代表すると思われる具体的場面などを指します。その形成には、受容した物語のメディア的特質が影響します。小説なら文字、映画なら映像／音声表現などの記憶もまたメンタル・イメージに刻まれるのです。

　物語の記憶とは断片的なものにすぎません。人はその全体像よりも、より選択的に物語の特定の場面や台詞や人物の様子などをメンタル・イメージとして記憶し、それらをいくつか組み合わせることで、ストーリーワールド全体を把握したことに相当させます。もちろん物語更新をめぐるメンタル・イメージ形成のあり方にはさまざまな条件が想定されます。それらは大きくわけて4種類に分類可能です。ひとつは、更新元である物語と物語更新作品が同じイメージを共有する場合。この場合、下位区分として、視覚的または言語的イメージを共有する場合と、視覚的イメージは共有されない場合とが考えられます。前者では物語内容もストーリーワールドも同じ、後者では物語内容は同じですがストーリーワールドは異なる場合と、物語内容もストーリーワールドも異なる場合とがあります。次に、2つ目として同じ物語のコンセプトを共有する場合。この場合もまた、更新元と更新作品では、物語内容、ストーリーワールドともに異なります。3つ目は、同じ物語の世界が共有される場合。ここでは物語内容は異なりますが、ストーリーワールドは共通します。最後に、物語

間の断片的つながりによってメンタル・イメージのネットワークのようなものが形成される場合。この場合はもちろん物語内容もストーリーワールドも異なります。

　これら4つの事例は、厳密に区別して考えるべきでしょう。ですが、そもそも同一の物語ととらえる基準は何なのでしょうか。タイトルでしょうか、物語内容（＝登場人物の言動や出来事）でしょうか、それとも物語表現（＝場面描写や台詞）でしょうか。また、いわゆる物語の世界観はどうでしょう。これらはメンタル・イメージのさまざまなあり方にも関連してきます。たとえば、上で述べた4パターンに具体例を交えもういちど説明するとこうなります。第1のパターン、すなわち同じ視覚的または言語的イメージを共有する事例を考えてみましょう。典型的なのはやはりシェイクスピアでしょう。フランコ・ゼフィレッリ監督の映画アダプテーション『ロミオとジュリエット』（1968年）あるいは『ハムレット』（1990年）は、シェイクスピアの戯曲原作を忠実に再現することをめざしており、当然ながら物語内容もストーリーワールドも同一であることが前提となり、受容者も当然そのように物語を経験します。視覚的イメージが共通しない例をあげると、バズ・ラーマン監督の『ロミオ＋ジュリエット』（1996年）、ケネス・ブラナー監督の『ハムレット』（1990年）がそれにあたります。これらのアダプテーション作品の場合、物語内容も台詞などの言語的イメージの面では基本的にシェイクスピアの原作と共通しますが、物語の舞台となる時代や場所の状

況など細かい設定が変更されているために、ストーリーワールドも異なるものとなっています。GONZO製作によるアニメ版『ロミオ×ジュリエット』(2007年) については、タイトルや物語の基本コンセプトは共通しているともいえますが、人物造型や主題的関心などに大がかりな設定変更が適用されており、物語内容もストーリーワールドも異なる作品となっています。

　これほど大きな物語更新ではないにしても、物語の基本コンセプトが共有されながら、物語内容もストーリーワールドも異なる事例は他にもみられます。ジョン・バカンのスパイ小説『三十九階段』(1915年) とその映画アダプテーション(といわれる)『三十九夜』(1935年、アルフレッド・ヒッチコック監督) との間では、登場人物の言動や出来事の多くが異なります。また、舞台となる時代も違うため（原作では第一次世界大戦直前、映画版では第二次世界大戦前）、ストーリーワールドも異なっていると考えられます。ただし、物語のアウトラインや全体的な状況については共通しているといえます。ロバート・シオドマク監督の映画『殺人者』(1946年) は、ヘミングウェイの短編「殺し屋」(1927年) のアダプテーションであるといわれますが、原作の物語内容は全体の10パーセントほどを占めるだけで、残りの大部分では原作短編が射程に収めている前後に起こった出来事が提示されているのです。ということは、物語内容は必然的に異なりますが、ストーリーワールドは同じ（もしくはおおまかにはつながりあっている）

とみなすことも可能だということになります。いっぽう、同じくヘミングウェイの「殺し屋」をアダプテーションしたとされるドン・シーゲル監督の『殺人者たち』（1964年）は、原作の物語内容だけでなく、登場人物や時代設定にも変更が加えられており、当然ながらストーリーワールドも異なったものとなっています。

　こうしてみてくると、私たちが物語のストーリーワールドをどのように構築し、そしてそれをどんなメンタル・イメージとして定着させるかが、物語更新のありようを左右することがわかるのではないかと思います。物語の「世界」は受容者と創造者に共有される抽象的な「内的構造物」です。あらゆる物語にはそれを成立させる「世界」が存在することを私たちに認知させる条件こそが、個々の物語に想定され、あるいは異なる物語どうしの間に認識される「世界性（＝worldness）」なのです。ストーリーワールドは特定の物語に固有のものと理論上は定位可能だということはすでに話しましたが、実際には人の数だけ、また物語経験の数だけ「ストーリーワールド」のヴァリエーションが存在し、それによりその全体像はつねに不定形で、それぞれの受容者／創造者に共有、継承されていくなかで変化をつづけていくということです。私たちは「ストーリーワールド」を物語経験のたびに違う形で、言い換えれば、おおまかには同一でも細部が異なったものとして記憶し理解しているのです。

6. メンタル・イメージの物語論

　物語更新とはメンタル・イメージとして記憶されたストーリーワールドを異なるメディアで再現表象することです。あらゆる物語テクストには、物語がその名で呼ばれるにふさわしい構造や主題を維持できる条件を一定のメンタル・イメージとして定着させる力が内在しており、物語の受容者はそれを読み取り、それをもとにして世界観を構成する、それが物語更新のメカニズムなのです。

　ただし、受容者は物語を論理的に整理した形で認識するわけではありません。私たちは物語言説をデコードして物語内容を構築するのですが、正確には物語内容に相当するものをいくつかの物語的要素の集合体として記憶することであり、そのことをつうじて私たちは物語世界を理解したことに代えるのです。たしかにメンタル・イメージとは再現されたストーリーワールドにほかならないのですが、そうはいっても、物語内容全体をすべて正確に記憶できるというわけではありません。メンタル・イメージとは、あくまで私たちの心の中に暫定的に形作られる抽象概念にすぎないからです。たとえば、ある作品の受容者がそのあらすじを語るとしても、物語内容のすべてをはじめから終わりまで語りつくすことはないでしょう。あらすじとなる物語内容はすでに何らかの形で細部を切り詰められ、物語内容の全容をエッセンスとして伝える内容にまとめられているはずです。その要となるのが物語内

容の主要場面を切り取ったメンタル・イメージなのです。別の言い方をすれば、メンタル・イメージが物語内容全体を代理表象するのなら、それはちょうど認知物語論で援用される「スキーマ」、すなわち現実理解のために人の記憶にデータベース化された総体的な概念構造と同様の作用にもとづいて、特定のひとつないし複数のイメージの集合体に物語内容全体の記憶を仮託する概念であると理解してもらえばわかりやすいと思います。

　では物語更新にともなって、具体的にどのようなメンタル・イメージが形成されるのでしょうか。この問題を考えるためには、まず次のポイントに気をつける必要があります。つまり、受容者によってメンタル・イメージは異なる可能性があるということです。おおまかにいえば、デコードされたストーリーワールドがそのままメンタル・イメージであると考えてもちろんかまわないのですが、ストーリーワールドはあくまで物語の全体像であり、そのすべてが等しく詳細に受容者の記憶に刻まれるわけではありませんでしたね。メンタル・イメージは物語の中でも欠くことのできない、あるいは重要で中心的な役割を果たす登場人物やその行動がかかわるエピソードや場面などから構成されるものではありますが、物語的に重要な場面は受容者によって異なる可能性があります。そうである以上、そのうちのどれが選択され、また具体的にどのような組み合わせで受容者の記憶に残るのか一概には決められるものではないのです。物語更新理論は、デコードの

プロセスによりストーリーワールドから定位されるメンタル・イメージがどんな形で選択され、また複数の選択肢のなかでどれが有力なイメージとしてさまざまな受容者に共有され定着するのか、さらにはそれが物語の更新プロセスのなかでどのように新たなディスコースとしてエンコードされるのかを解明していきます。

　それにしても、物語更新のプロセスで重要な役割を果たすデコードによって構築される物語内容の共有的なコアとしてのメンタル・イメージは、更新に先行する原作テクストに対する「忠実度」（fidelity）の判定とどのようにかかわるのでしょうか。すでに述べましたが、アダプテーション研究では原作の物語に対して翻案作品が忠実であるかどうかがその評価を決めるという悪弊が繰り返されてきました。物語更新理論においてもこのあたりの事情は変わりありませんので、原作に対する忠実度だけで物語更新の良し悪しを判断しないように注意しなければなりません。物語内容の記憶と呼び出しをめぐってメンタル・イメージがどの程度の再現度または合致度を達成するのか、この際こういったことは問題とはならないのです。物語更新理論は、物語内容（ストーリー）の理解（デコード＝解読）が、喚起されるメンタル・イメージによって異なる可能性があることを積極的に認める立場をとります。メンタル・イメージが受容者にかかわらず同一である必要はありませんし、実際にある作品の受容をつうじて記憶に刻まれるメンタル・イメージには一定の幅が許容、または前提と

して想定されなければならないと考えられるからです。

　以上のことをふまえて、ここで物語更新についてあらためて確認しておきたいポイントは次のように集約されます。物語の受容者によってメンタル・イメージとして記憶され、さらには物語更新の素材となるストーリーワールドは、理論的には物語ごとに想定されるものですが、たとえすべての受容者に共有されるものではあっても、そのメンタルイメージは単一のものではなく、極端にいえば受容者の数だけ存在する可能性があり、それをふまえ相応の差異を含んだ集合体なのです。したがって、重要なのは物語をデコードして形成されるストーリーワールドの多様性を記述することではなく、細部での差異を許容し、同時にそれらを最大公約数的に包摂できるものとして更新のプロセスを理解することです。そのように多様なメンタル・イメージがストーリーワールドの痕跡として想定されるからこそ、差異や変化を経てもなお同一の物語として認識可能な更新が行われるのです。

　ここまでの話をまとめましょう。更新される物語とは、単純化していえば、物語の受容（すなわちデコード）にともなって形成されるメンタル・イメージをもとに生まれます。物語更新のプロセスには、受容者によるメンタル・イメージの形成と定着が欠かせないわけです。いっぽう、メンタル・イメージはストーリーワールドを総括的に代理表象する集合体ですが、物語の要素として想起される場面などは受容者により異なる可能性があります。だからこそ多様な物語の要素の組み

合わせから導き出されるストーリーワールドとメンタル・イメージの関係を考えることが重要なのです。

　さてここから物語更新の概念説明を進めていきたいと思います。その前に、物語更新の理論化を考える上で見逃してはならないのは、更新は2つのプロセスが同時並行的にかかわることで進行するということです。ここからは物語更新のプロセスについて、内容面（content plane）と表現面（expression plane）の違いをふまえながら、その理論化を試みたいと思います。繰り返しになりますが、物語の受容者は、ディスコースのデコードが実行される際に、ストーリーをはじめから終わりまですべて途切れなく記憶にとどめるのではなく、物語の理解に不可欠なひとつ以上の場面を、ストーリーワールドの記憶に集約します。ストーリーワールドを構成するのは、物語中で展開されるストーリーの進行の中核をなすいくつかの出来事、主人公をはじめとする何人かの登場人物、および物語世界の背景をなす設定でしたね（登場人物の諸関係、物語世界内の世界観、あるいは物語外のたとえばテーマ曲やBGM なども含みます）。物語を記憶する代表的シーンとして具体的に何が選択されるかは受容者によって異なる可能性がありますが、多くの受容者に共有されるものもあり、これら共有される代表的シーンから想定される物語の総体を、ストーリーワールドを集約するメンタル・イメージとみなすわけです。ストーリーワールドは、具体的には「メンタル・イメージ」として受容者に定位されるのです。すでに述べまし

たが、個々の受容者が定位するメンタル・イメージは他の受容者のものと同一であるとは限りませんし、またその必要もありません。もちろん、メンタル・イメージを定位することによって更新されたストーリーから新たなディスコースがエンコードされる際にはこれとは逆のプロセスが生じ、メンタル・イメージからストーリーワールドが再構成され、その結果として多様な物語更新が実現していくことになります。

　メンタル・イメージはディスコース（つまり受容する物語テクスト）をデコードして形成される観念的な物語の総体でしたので、ディスコースのデコードによってできあがるメンタル・イメージは、おおまかにはストーリー（すなわち物語内容）と同一であると想定されます。ただしストーリーを特定のメンタル・イメージとだけ結びつけ同一化を考えるのは誤りでしたね。繰り返しますが、複数のメンタル・イメージがひとつのストーリーワールドを表すのはむしろ当然であり、この場合のストーリーとは、厳密には異なるメンタル・イメージをあらかじめ内包した総体的観念として理解すべきです。ただし、概念的存在としてのストーリーの事象的全体像を時系列や因果関係にもとづいて受容者が網羅的に想起できるわけではありませんでした。受容者が認知するのは、物語内容の全体そのものではなく、さまざまな物語的要素の集合体としてのストーリーワールドだからです。

　ストーリーワールドは物語ごとに存在しますが、同一の物語と認知される作品間にはそれぞれのストーリーワールドを

たがいに共有させる部分もまたあります。物語から認識されるストーリーワールド間にみられる関連性のネットワークこそが、実は物語更新の営為を継続的で豊かなものとするのです。このような前提をもとに、たとえば、異なるメンタル・イメージからストーリーワールドが再概念化される場合、更新される物語内容は、物語の全体像に新たに付け加わったものにほかならないわけですが、同時にその新たな物語内容が付け加わる可能性はあらかじめ総体としての物語に実現されることが想定されていたのではないかという点を物語更新理論では仮説として提案します。

　物語更新には、内容面だけではなく、表現面の更新も同時に実行されます。より正確な言い方をすれば、内容面の物語更新が行われる際に、同時並行的に表現面に関するデコードも行われるということです。というのも、デコードされたストーリーワールドから呼び出されるメンタル・イメージには不可避的に物語表現の痕跡が付随するからです。物語のディスコースは表現媒体すなわちメディアをつうじて受容者に伝達されます。小説を読むとか、映画を観る、ゲームをするなどの行為がそれにあたります。物語の受容者は、各メディアを構成する個々の表現手段—小説の場合は文字、映画の場合は主に映像と音声など—のうちでそれらを特徴づける物語伝達の実践を、物語内容面のデコード作業にともなう形でストーリーワールドの概念にその痕跡を刻み、メンタル・イメージとして定着させるのです。このようなディスコースのメン

タル・イメージ化は複層的に行われます。たとえば、『ロミオとジュリエット』についていえば、直接的にはシェイクスピアを原作テクストとする場合であっても、受容者の経験する物語の種類によっては、数え切れないぐらいに製作されてきた舞台版だけでなく、さきほども言及した映画『ロミオとジュリエット』（フランコ・ゼフィレッリ監督）や『ロミオ＋ジュリエット』（バズ・ラーマン監督）なども同時にディスコースのメンタル・イメージとして定着させている場合が想定されます。過去に異なるメディアで再現された物語の痕跡がオマージュやパロディの形をとって後発するアダプテーションにちりばめられている例は枚挙のいとまがないほどで、またメディアの特殊性が物語内容の更新に大きな影響を及ぼすことは一般的にもよく認識されていることです。

　ディスコースを形成するメディア的特性が物語更新に影響を与える可能性について今述べましたが、たとえば、前にもインターテクスチュアリティの説明のところで引き合いに出したセルヴァンテスの『ドン・キホーテ』をめぐる物語更新はこの一例になるでしょう。『ドン・キホーテ』が当時のヨーロッパで流行していた騎士道物語のパロディとなっていることはすでに話しましたね。これに関連した作品に『ロスト・イン・ラ・マンチャ』（2002年）というドキュメンタリー映画があります。この映像作品は、直接的な形ではありませんが、『ドン・キホーテ』を物語更新した作品であるといえます。テリー・ギリアム監督は『ドン・キホーテ』をアダプテーショ

ンするアイディアを長年あたためており、『ドン・キホーテを
殺した男』として映像化する機会をついに得ます。しかし、
残念なことにこの作品がついに完成することはありませんで
した。ロケ地の不都合、俳優の病気、何より壮大なこの作品
の完成のための期間と予算の問題など度重なるトラブルに見
舞われ、撮影が中止されてしまいました。そのあたりの経緯
がドキュメンタリー映像として記録され公開されています。
ちなみに、その後も『ドン・キホーテを殺した男』(*The Man
Who Killed Don Quixote*) の製作は何度か試みられ、2018年
についに完成、公開されました（正式な邦題は『テリー・ギ
リアムのドン・キホーテ』）。

　さてここで問題となるのは、『ドン・キホーテ』から『ドン・
キホーテを殺した男』への物語更新のプロセスだけでなく、
その間に立つ『ロスト・イン・ラ・マンチャ』の映像の中で
確認できる、『ドン・キホーテ』という名を与えられる物語群
が共有するストーリーワールドです。ギリアム監督自身が手
がけた絵コンテの数々は、『ドン・キホーテを殺した男』がど
のような映像作品になろうとしていたかを私たち視聴者に伝
えるインパクトをもっています。この関連で言及しておくと、
原作の小説には後年ギュスターヴ・ドレによって描かれた挿
絵が付加されていますが、これは『ドン・キホーテ』のストー
リーワールドの可能性のひとつを具現化したものであるだけ
でなく、後発の関連するさまざまな『ドン・キホーテ』とみ
なされる作品群が共有するストーリーワールドの原型にさえ

なっているといえます。ギリアム監督による絵コンテはこれに触発されているという可能性さえあります。その推測が正しいかどうかはこの際問題とはなりません。重要なのは、ギリアム監督の絵コンテが、原作『ドン・キホーテ』のどの場面が、物語の受容者でもある監督にとって、原作のストーリーを定位するストーリーワールドの形成を促すのか、またそれがどのようなメンタル・イメージとして記憶されているかを明確に伝えているということです。騎士物語を読みすぎて頭がおかしくなったドン・キホーテは、サンチョ・パンサを従者に遍歴の旅に出ますが、その途中で林立する水車を巨人たちだと勘違いし、勇猛果敢に突進した結果、水車の羽根に跳ね飛ばされてしまいます。これを私たちの多くは、騎士物語のパロディである『ドン・キホーテ』を代表するシーンのひとつとして思い浮かべることでしょう。それはこのシーンがそのまま『ドン・キホーテ』のストーリーワールドを凝縮したメンタル・イメージとなっているからです。完成した『テリー・ギリアムのドン・キホーテ』は、これとさらに屈折したストーリーワールド的結びつきを形成していることになります。

　もうひとつ、ディスコースおよびメディアの特性がストーリーワールドの形成に影響を与えている例を見てみましょう。取り上げるのは『カルメン』です。ジョルジュ・ビゼー作曲のオペラ『カルメン』（1875年初演）が真っ先に思い浮かぶという人が多いと思いますが、物語には原作があり、それはフ

ランスの小説家プロスペル・メリメの中編小説『カルメン』
（1845年）です。原作とオペラ・アダプテーションの最大の違いは、原作の物語でのドン・ホセの回想を語り手が聞くという設定がなくなってしまったことですが、もうひとつ重要な点をあげると、ヒロインとしてのカルメンのキャラクターの変化です。原作小説でのカルメンは情熱的ないっぽう移り気で、心に影をもつ性悪なわがまま女として描かれるのに対して（もともと裏切られたドン・ホセが回想するのですから、いたしかたありません）、オペラ版のカルメンの場合は束縛を嫌い、自由を求め奔放に生きる自立した女性のイメージが前面に出ています。

　まあこれは解釈の幅ということで説明がつくかもしれませんが、見逃してはならないのは、そうした自由で奔放なカルメンのイメージを、彼女の歌う姿が定着させる役割を果たしているということです。とりわけ、カルメンがアリア、「ハバネラ」（恋は野の鳥）を歌う場面は、気まぐれな恋を語るその歌詞とともに、ヒロイン登場を彩る物語全体を代表する印象的なシーンとなっています。実際、カルメンの「ハバネラ」は、たとえば、物語をアメリカ南部に移した映画アダプテーション（舞台ミュージカルのリメイク）『カルメン・ジョーンズ』でも、工場内の食堂でカルメンが英語の歌詞で官能的に歌う「ダッツ・ラヴ」として再現されています。また、MTV がビヨンセ・ノールズ主演でリメイクした『カルメン・ヒップホップ・オペラ』（2001年）でも、やはりその旋律はアレンジをか

えてカルメンがバーでデリック・ヒル（ドン・ホセに相当するキャラクター）の前に初めて姿をあらわす場面で使用されています（この後ビヨンセがラップで歌う楽曲自体は「ハバネラ」とは異なっていますが）。ということは、『カルメン』のストーリーワールドの記憶を定着させる重要な要素は、カルメンが歌う姿だということになります。もちろん、あまりにも有名なあの前奏曲や、「闘牛士の歌」など他にも楽曲はあるのですが、それらとともに「ハバネラ」こそが、ひとつの曲として、メディア的特性が最大限に発揮されたストーリーワールドの要となっているのです。

　最後にもうひとつだけ例をあげましょう。すでにインターテクスチュアリティについて解説したところで触れましたが、「ブルー・ハワイ」は『ワイキキの結婚』の挿入歌のひとつに過ぎなかった位置づけから、とりわけその歌詞を拠り所として、同名映画の主題歌であるだけでなく、新たな物語のストーリーワールドを生み出すエンコード元のメンタル・イメージとなったと考えることができます。『ワイキキの結婚』と『ブルー・ハワイ』の間には、どちらもハワイを物語の舞台としたミュージカル仕立てのラブ・コメディ映画であるという点を除けば、直接的な関係性はありません。しかし、『ワイキキの結婚』から『ブルー・ハワイ』へのメンタル・イメージの転位は、プレスリーがクロスビーの「ブルー・ハワイ」をカヴァーして歌ったことがきっかけとなって生まれたのです。まったく別個の物語であった『ワイキキの結婚』と『ブルー・

ハワイ』のケースでは、前者のストーリーワールドを形成した楽曲が後者の主題歌としてカヴァーされることで、その継承と共有が実行されました。「夢はかなう、青きハワイでは／僕の夢もかなうだろう、君と2人、この夢のような夜に(Dreams come true in Blue Hawaii / And mine could all come true this magic night of nights with you)」という「ブルー・ハワイ」の歌詞は、両作品を包摂する重要なメンタル・イメージとして、2つの異なるストーリーワールドを融合させる役割を果たしているのです。

物語更新のパターンにはいくつかのヴァリエーションが想定されます。もっとも一般的なのは原作のリメイク（いわゆるアダプテーション）でしょう。ジャンルやメディアが多様化した現代においては、リメイクのありようはひじょうに多様化しています。それだけに原作への忠実度（あるいは逸脱の度合い）で評価されるデメリットがあります。続編やいわゆるエピソード・ワンあるいはオリジン・ストーリー的な更新もあります。たしかに物語本編では直接触れられなかった「その前」や「その後」を知りたいという物語の受容者の願望は誰しも共有できる感覚です。もちろんうえにあげた例がすべてではありません。それぞれが混合する場合も当然ありえます。

原作をどれだけ忠実に再現できているか、どれだけ原作のイメージを崩さずに創作できているかがリメイク版の評価を決める重要な要素となっていることは一般的によくあること

です。しかし、物語の更新という観点からみれば、忠実度に関係なく、あらゆる物語的可能性が想定されるのです。また、続編や前日譚、もしくははスピンオフなどの派生作品は、原作のリメイクという意味でアダプテーションとはみなされませんが、これらももちろん物語更新の可能性のひとつであることはいうまでもありません。

　では物語更新の全体像を整理してみましょう。物語のディスコースはそれぞれのストーリーワールドとともに、すでに紹介した概念ですが、物語横断的な「世界性」（ワールドネス＝世界の全体像あるいは世界観のようなもの）をメンタル・イメージとして共有することで、たがいに関連しあって、さまざまな物語的可能性の総体(マトリクス)を形成します。「ストーリーワールド」は物語経験のたびに（再）概念化され、物語経験は、「ストーリーワールド」が「ワールドネス(世界性)」としてメンタル・イメージ化され、その記憶が共有される過程にほかならないのです。

　私たちは物語経験のたびに「ストーリーワールド」の概念化を繰り返します。「ストーリーワールド」はその「世界性」を『メンタル・イメージ』として記憶されまた呼び出されます。概念化された「ストーリーワールド」はその記憶の呼び出しのたびに再概念化されます。更新元と更新物語のストーリーワールド的関係性、更新の痕跡や変化と同一性の維持のバランスなど、物語更新をめぐる要素は実に多様です。ですが、ストーリーワールドの変遷にともなう物語の必然的変化

にもかかわらず、同一のマトリクスを形成していると認識可能な物語のメンタル・イメージが包括的な「ワールドネス」に担保されることで私たちは絶えず物語更新を経験しているのです。

　「更新」とは、物語経験のたびにストーリーワールドを概念化し直すことです。同じ物語であっても受容のたびに以前とは異なったものと感じられる（これまで気づかなかったことに気づく、異なる解釈をする）のは、ストーリーワールドを異なったものと想定するからなのです。ストーリーワールドとは物語に想定される「世界」の全体像ですが、私たちはそれを「メンタル・イメージ」として記憶から呼び出します。ストーリーワールドが物語経験のたびに異なったものとして再概念化されることにより「更新」が起こるのです。

7．おわりに

　物語更新理論のポイントは、物語がストーリーワールドとして受容者の記憶に残ること、もしそれが具体的には物語のメンタル・イメージとして呼び出し可能だということ、これに尽きます。ストーリーワールドの形成が、メンタル・イメージに集約されて受容者に記憶されることで、物語更新の条件は整います。いっぽう、ストーリーワールドを形成する際にディスコース、つまり物語表現のメディア的特性もまたメンタル・イメージの一部として保存されます。物語テクストを受容するときにデコードの対象となるのはディスコースですので、記憶されるメンタル・イメージに受容したメディア、小説、舞台、映画やコミック、ゲームなど、それぞれの物語表現的特質が投影されるのも当然のことです。

　物語内容としてのストーリーとその表現面であるディスコースとの関係性は物語更新のプロセスを考える際にとても重要であることを最後にもういちど確認しておきたいと思います。できるだけ簡単にまとめましょう。物語のディスコース(表現された「物語」[小説、映画、ゲームなど])はそれぞれのストーリーワールドとともに、物語横断的なワールドネス(世界の全体像あるいは世界観のようなもの)をメンタル・イメージとして共有することでたがいに関連しあい、さまざまな物語的可能性の総体(マトリクス)を形成します。私たちはディスコースとして物語を受容し、ストーリーへと変換し

ようとします。ただし変換されたストーリーはそのまま時系列的に記憶されるのではなく、あくまで時間と空間軸を備えたストーリーワールドとして記憶されるのです。物語を受容するということは、テクストとして提示されるディスコースを時系列、因果関係を問わず、何らかの意味ある関係にもとづくストーリーへと変換して、それをストーリーワールドとして定着させる、さらにそこから、その気になりさえすればいつでも読み込める、つまり具体的に呼び出し可能なメンタル・イメージとして物語内容を再現可能な形で保存することにほかなりません。さらに言い換えるなら、物語更新はそのようにして読み込まれたストーリーを、新たなストーリーワールドに再形成し、任意のメディアを用い、次の物語ディスコースへと組み上げていく創造的行為ということになります。

　物語更新とは受容者が物語のディスコースをデコードすることで記憶に保存したストーリーが新たなメディアをとおしてエンコードされるまでのプロセスの反復なのです。ディスコースは受容者によりストーリーワールドとして解読され、そしてメンタル・イメージとしていつでも呼び出すことができるのです。ここから次のプロセスがはじまり、メンタル・イメージ化されたストーリーワールドは、新たな（または同一の）メディアによってディスコースにエンコードされます。メンタル・イメージを媒介としてデコード／エンコードのプロセスを繰り返していく物語は、そのようにして蓄積される

可能性の集合体と定義することが可能です。この集合体が物語のマトリクスなのです。つまり物語は不特定多数の受容者の記憶に共有され、反復と変容の対話的関係の中で永続的に更新されつづけていく母体というわけです。そういう意味では、更新される物語とは実現される可能性のひとつであり、物語更新は可能性の集合体として蓄積される物語のマトリクスのひとつが発現した形態であるといってもいいでしょう。ストーリーワールドやメンタル・イメージの保存には、内容の追加や、強化、あるいは消失さえともなう可能性があります。物語内容の消失とはいっても、永遠にそれが失われるということではなく、受容者によるストーリーワールドとメンタル・イメージ形成の条件によっては、たとえば物語更新された同一作品群のなかでも、直近の物語テクストではなく、過去のテクストを受容するなどして、ふたたびその姿を現すということも想定されるはずです。

　私たちは、同じ物語であってもそれを受容するたびに異なったストーリーワールドを読み取ります。たとえば、同じ物語を2度3度と読むたびに、前とは違った読み方をするとか、前はわからなかったことがわかったとかいう経験をしたことがありませんか？それはつまりストーリーワールドを違う形で理解したということなのです。ストーリーワールドとは、特定の物語に固有のものと理論上定位可能ですが、実際には人の数だけ、また物語経験の数だけその全体像は変化するからです。

物語経験にはその受容と創造のプロセスのどちらもが関与します。私たちはみな物語の受容者であり創造者でもあるのです。たとえば、小説を読み、その世界を概念化する、それだけで私たちはその物語の世界を受容するだけでなく、創造してもいるわけです（実際に物語として具現化することはないとしても）。ですから、私たちの物語経験は受容と創造の継続的プロセスが形成する「更新」にほかならないのであり、そうした物語経験は個人の中で何度も繰り返され、また社会の中で個々人の間で物語更新という文化現象が共有、継承されていくのです。

　ただし、これからの課題としてなお検討が必要な問題も残っています。物語更新のプロセスの中で、理論的には、あるひとつの物語テクストの更新をめぐるディスコースとストーリーの関係は１対１のもの、つまり単一の物語言説から単一の物語内容を保存すると想定しますが、ディスコースをデコードすることで形成されるメンタル・イメージは、受容したディスコースだけからできるとは言い切れない場合もありえます。おそらく物語更新のプロセスをより厳密に考えるには、アダプテーション研究において仮定される原作とアダプテーション作品との関係性よりも、もっと柔軟でかつ複雑な状況を想定した上で、メンタル・イメージ形成にかかわる諸条件について考察を深める必要があるでしょう。たとえば、具体的にどの場面あるいは特定の登場人物や作中の出来事などがどのように物語全体から抽出され、統合的なメンタル・

イメージとしてデフォルト設定されるのか、またそれが物語受容の経験を共有する私たちによってどのような差異を有するにいたるのか、さらにはメンタル・イメージが物語テクストの受容のしかたの違いによって修正されることがあるとすれば、それは具体的にどのような条件のもとに行われるのか、こうした諸問題の解明については、可能世界論や認知物語論だけでなく、様相実在論（modal realism）やエナクティヴィズム(enactivism) の最新の知見も参照しながら事例研究を深め、物語更新をめぐるさらなる理論の精緻化をめざさなければなりません。

　もちろん、これらは今後の課題の一部にすぎません。他にも物語テクストや作者、受容者を取り巻く文化や社会的なさまざまな背景要因が物語のデコード／エンコードのプロセスにどのような影響を与えるのかといった問題もまだ解決できておらず、このことについても考察を重ねていくつもりです。

　物語更新理論、それは物語受容の過程で物語言説（ディスコース)がデコードされることで受容者の記憶に形成されるストーリーワールドがメンタル・イメージとして具体的に想起され、それを新たな物語へとエンコードする創造行為をたどるための理論です。さまざまなジャンルやメディアを横断する物語の反復と差異をあとづけるアダプテーション理論を土台に、認知物語論の知見を援用しながら、歴史と地域を越えた文化的現象としての物語更新のありようをこれからも解明していきます。今後も物語更新理論の更新にご期待ください。

実践編

Practice

1：『ロミオ＋ジュリエット』における物語更新

　バズ・ラーマン監督の『ロミオ＋ジュリエット』（1996年）
は、ウィリアム・シェイクスピアの『ロミオとジュリエット』
（1595年）を原作として製作された映画アダプテーション作
品です。映画の英語原題は正式には *William Shakespeare's
Romeo + Juliet* といいます。シェイクスピアの戯曲を公式に
原作としてクレジットしながらも、物語のストーリーワール
ドは、中世のヴェローナを現代するという企図のもと、原作
を忠実に再現するのとは方向性の異なった演出を施されてい
るのですが、そのいっぽうで、プロットそのものは驚くほど
原作を踏襲しているという、何とも不思議な作品です。

　もちろんアダプテーション作品である以上いたしかたない
のですが、劇中の出来事やキャラクターの造型から言動等を
含んだ物語内容に一定の忠実度を保つことが前提となること
は想像がつきますし、シェイクスピアの原作もラーマン監督
版も代表的な台詞や物語の流れについてはそれほど変化があ
るわけではないことが、この点を担保しているといえます。
もちろん全5幕の戯曲を約2時間の映画に変換するというわ
けですから、それなりに物語内容の削減をともなわざるをえ
ないことも事実です。実際のところ、シェイクスピアの戯曲
にはあった台詞の多くが省略されていますし、物語の流れに
対する影響があまりない限りにおいて、原作のエピソードに
ついても削除されているものもあります。何よりも、映画版

のストーリーワールドは現代化されているわけですから、中世のヴェローナとはある意味でまったく異なる世界で物語が展開されていることもあり、その意味では、別の物語として受容することも可能に思われます。それでもなお、ラーマン版がシェイクスピアの戯曲原作と「同じ」だと思わせるゆえんはどこにあるのでしょうか。そのあたりを考察のポイントとしてふまえながら、『ロミオ＋ジュリエット』の物語更新について考えてみたいと思います。

　さて、まずはシェイクスピアの原作のあらすじをたどっておきましょう。モンタギュー家とキャピレット家はたがいに仇敵の関係にあります。モンタギュー家の息子ロミオはロザラインという女性への片思いに悩んでいましたが、ある晩忍び込んだキャピレット家の仮面舞踏会でジュリエットと出会い、２人はたがいに激しい恋に落ちます。結婚の約束をしたロミオとジュリエットは、ロレンス修道士に相談をします。ロレンス修道士は、２人の仲が両家の和解に繋がるかと秘密で結婚式を挙げることを提案します。しかし顔を合わせるだけで喧嘩を始める両家の対立が収まるはずもありません。そんななか、ティボルトがマキューシオを、そしてロミオがティボルトを刺し殺すという事件が起こります。追放の命を受けたロミオは悲嘆に暮れ、いっぽうジュリエットは父からパリスとの縁談を命じられます。ロレンス修道士は婚前の前夜飲むようにとジュリエットに仮死状態となる薬を渡します。ところが、息を吹き返したジュリエットとマンチュアで暮らす

ようロミオに伝えるはずの手紙が手違いで届かず、ジュリエットの死の知らせを聞き墓に駆けつけたロミオは、そこで出くわしたパリスを口論の末に刺し殺します。そしてロミオはジュリエットの後を追うつもりで毒を飲み自ら命を絶ちます。眠りから覚めロミオの死を悟ったジュリエットもまた、ロミオの剣を引き抜き自害します。若い2人の悲しい最期と引き換えに、モンタギューとキャピュレット両家はついに和解するのでした。

　ラーマン監督版『ロミオ＋ジュリエット』は、さきほども話しましたが、シェイクスピアの『ロミオとジュリエット』を原作として、物語内容を現代化するという全体的企図をもっています。物語の時空間をアップデートさせることが、この作品の物語更新のもっとも基盤的な部分であることはいうまでもありません。ところでラーマン版の物語の舞台はどこなのでしょうか。この映画についての資料をいくつか確認してみると、どうやら20世紀終わりのアメリカ大陸のどこかの都市（ヴェローナ・ビーチ）に設定されているようです。ただし映像を確認してみても、はっきりと特定の都市になぞらえているとも言い切れないように思われます。アメリカはフロリダ州のどこかの都市（マイアミなど？）を想定しているようにもみえます。実際のところメキシコシティでロケーションが行われたと記録が公にされているのですが、架空の物語が生起する場所をどこに特定するかという問題は別にするとしても、現代化された映画版から認識されるストーリー

ワールドは、そもそもシェイクスピアの戯曲のそれとは重なり合いそうな部分をもっていないことが物語的前提であることは容易にわかります。また私たちも当然そのように受け取り、そうした認識にもとづいて映画版を経験するわけです。シェイクスピアの戯曲原作をどれだけ知っているかにかかわらず、私たちは、程度の差こそあれ、それぞれの物語経験に応じて、原作と映画アダプテーションという2つの物語のヴァリエーションの間に似ているけれども違う、しかし違っているようでもどこか似ている、そういった微妙な緊張関係をともなった記憶と想像力にもとづいて、新たな物語経験を積み重ねていくのです。

　それでは、次にラーマン監督版『ロミオ＋ジュリエット』のあらすじをたどってみましょう。ヴェローナ・ビーチの2大マフィアであるモンタギュー家とキャピュレット家の間では激しい勢力争いと衝突が日常茶飯事のように起きていました。そんななかモンタギュー家の息子ロミオ（演：レオナルド・ディカプリオ）は友人のマキューシオとともにキャピュレット家でのパーティーに忍び込みます。そこでロミオは美しい娘と出会い、2人は恋に落ちます。しかしその娘はキャピュレット家の令嬢ジュリエット（演：クレア・デインズ）であり、モンタギュー家の御曹司ロミオには決して許されない出会いでした。しかし激しい恋心に燃えるロミオはジュリエットのバルコニーを訪れ、2人は永遠の愛を誓います。翌日ロミオは、ロレンス神父にジュリエットとの結婚の意志を

伝えます。神父は2人が結婚することで両家の争いを終わらせることができると考え協力することにします。しかし街に戻ったロミオはキャピュレット家のティボルトに襲われ、その巻き添えでマキューシオの命が犠牲となります。怒りと憎悪にかられたロミオは車でティボルトを追い詰め、復讐の念にとらわれたまま銃撃することでその手にかけてしまいます。殺人の罪を背負ったロミオは追放されることになりますが、それに先立ち神父の協力を得てジュリエットの元を訪れ、2人は結ばれます。ところが両親からパリスとの結婚を求められたジュリエットは、それを拒むために、ロレンス神父の助けでみずからの死を偽装することを計画します。ロミオとともに逃れるために、ジュリエットは24時間後に生き返ることができる秘薬を飲みます。事は首尾よく運ぶかと思われましたが、計画を伝えるロレンス神父からの連絡が予期せぬ行き違いのためロミオの手に届かず、事の次第を何も知らないまま彼はジュリエットの死を知らされます。ロミオは、悲観したジュリエットがみずから命を絶ったと誤解します。絶望したロミオは猛毒を買い求めてヴェローナ・ビーチへと戻ります。追っ手を逃れジュリエットのもとに駆けつけたロミオは、彼女の側で毒を飲みます。直前に目を覚ましたジュリエットでしたが、事態を理解したときにはすでに手遅れでした。ロミオは愛するジュリエットと最後の言葉を交わし亡くなります。そしてジュリエットもまたロミオの銃を使ってみずからの命を絶ちます。変わり果てた姿で発見された2人は、その悲劇

的犠牲によってモンタギュー家とキャピュレット家の争いを終わらせたのでした。

　おおまかな物語内容の展開についてはあくまで原作を土台にして基本的な流れを継承しているだけにあまり変わりませんね。ただし、この2つの作品には異なる点もあり、とりわけ物語の時空間的設定の異なりについてはすでに述べました。もちろん、中世のヴェローナが現代のヴェローナ・ビーチに、そしてモンタギュー家／キャピュレット家という名門貴族の対立が2大マフィアの抗争に置き換えられていることが最大の変更点であることはまちがいありませんし、これに呼応して登場人物たちの身なりも現代化され、武器も剣が銃に置き換えられています。またジュリエットの自殺も短剣ではなく銃であったするわけですが、そうした一連のアップデートがこの作品の物語更新のすべてというわけでは当然ありません。なるほどいかにも古めかしい戯曲を最新の現代劇へと置き換えようというわけですから、そうした方向性にともなう設定変更が必要であったことはいうまでもありません。もっとも、さきほども言及しましたが、物語の設定を現代に適合させるいっぽうで、キャラクターたちの台詞を含め、その他の物語のシークエンスそのものの変更を連動させてはいません。それが何ともアンバランスで、見方によっては奇妙な演出にも思えてしまうのですが、同時にまたそうしたいびつでおさまりのわるいようなアップデートのしかたこそが、あえてシェイクスピアの原作とのつながりを異化する形で明示している

のではないでしょうか。現代のロックやパンクを彷彿とさせる若者文化を反映した衣装を着たキャラクターたちが、古風な英語の台詞をしゃべるわけです。そうした微妙な感覚こそが、奇をてらう演出とは一線を画したラーマン監督による独特な演出のポイントであり、それがまた『ロミオ＋ジュリエット』のストーリーワールドの更新にとてもユニークな形で一役買っており、新たな物語的可能性が開かれていったのです。

　ところで、『ロミオとジュリエット』のなかでもっとも有名で印象的な場面のひとつが、「あぁ、ロミオ！どうして貴方はロミオなの」でおなじみの、いわゆるバルコニー・シーンであることに異論の余地はないでしょう。みなさんの記憶にも、『ロミオとジュリエット』といえばこの場面のことがとりわけ印象深く残っているのではないでしょうか。シェイクスピアの原作ではジュリエットが自身の家の高い位置にあるバルコニー越しにロミオへの愛を語り、両家の憎しみ合いによって結ばれない運命を嘆き悲しんでいるところに、庭に忍び込んでいたロミオがジュリエットの声を聞きつけ、我慢できずに思わず語りかけてしまうというあの場面です。じつは、『ロミオとジュリエット』のストーリーワールドの記憶を凝縮するといっても過言ではないもっとも有名なこのシーンの物語的状況設定についても、ラーマン版はきわめて大胆に変更を加えています。何といっても、バルコニー・シーンであるにもかかわらず、バルコニーを避けるのです（おそらく意図的に）。シェイクスピアの戯曲での設定を基本的には踏襲すること

忘れてはいないのですが、それでも脱線のしかたは大半の物語の受容者の期待をいい意味で裏切り、決して奇をてらうという感じではなく、奇妙に屈折した、どこか不思議な魅力を秘めた場面へと仕上がっているのです。これを先行する『ロミオとジュリエット』の映像化作品、たとえばフランコ・ゼフィレッリ監督による1968年版が、シェイクスピアの戯曲を基本的には再現することを狙っていたことと比較して考えてみると、ラーマン監督版は『ロミオとジュリエット』の規範的なメンタル・イメージをあえて書き換えることをめざしていたといえるのかもしれません。

　ゼフィレッリ監督版のことに言及しましたので、この際2つの映像化作品を少しだけ比較してみましょう。1968年版のほうは原作に対する可能な限りの忠実さをまずもってめざしていることは明白で、基本的な物語の流れは舞台版の再現といってもいいと思えるところもあるほど、同一に近いものであると考えてさしつかえありません。ではそのバルコニー・シーンについてですが、ロミオは仮面舞踏会の後に、偶然ジュリエットの部屋のバルコニーの下へとたどり着き、近くの木によじ登ります。このあたりは舞台版以上にリアリズム重視かもしれません。ついにロミオは、彼へのひそかな思いを語っているジュリエットに遭遇し、驚く彼女に愛を告白します。そして2人は永遠の愛を誓いあうのですが、ラーマン版『ロミオ＋ジュリエット』では、あろうことかバルコニーをはさんだ愛の語らいという基本的な設定が全面的に見直されてい

るのです。ゼフィレッリ版では、ロミオとジュリエットがバルコニーをはさんでその外と内にいわば隔離された位置関係がはっきりと見てとれますが、ラーマン版では完全に無効化されているのです。もちろん２人の位置関係が多少変わったところで、それがストーリーの展開自体に大きな影響を及ぼすというわけではないのですが、ラーマン版はシェイクスピアの原作はおろか、おそらく先行するどのアダプテーションとも異なって、プールの水の中で抱き合う若い２人の男女の愛を清々しくというよりは、より濃密に、ある意味よりエロティックに表象しているともいえそうです。それにしても、『ロミオとジュリエット』を代表する有名なシーンのひとつであるにもかかわらず、よくこれほど大胆な演出により変更し、シーンのありかたそのものを書き換えることによく挑んだなと思います。

　このように、『ロミオ＋ジュリエット』において実行された物語更新を促した要素としてどのようなことが考えられるでしょうか。見逃してはならないのは、やはり時代思潮の変化ということでしょう。もっとも、時代思潮の変化といっても複雑であまり単純化して考えるべきではありませんが、たとえば昔なら親に認められなければ結婚はできないということからも、程度の差こそあれ、現代以上に厳しい現実であったと考えることはできるでしょう。少なくとも『ロミオとジュリエット』においても、結婚は当事者同士の問題ではなく一族の問題であったことはわかります。現代でもあっても、も

ちろん親に認められてこその結婚という考え方はまったくなくなってはいないようですが、それでも昔とは違いそこまで一家同士の結びつきという問題は厳しくとらえられていないともいえます。

　少し話が脱線しましたが、ここでおもしろい仮説を提案してみましょう。世の東西を問わず、また昔も現在も変わらず起こっていた結婚をめぐるこのような考え方の相克とも関係して、あるいはそうした社会的な通念の変化を投影する形で、『ロミオ＋ジュリエット』では、家系という障壁、またひとりの女性とひとりの男性といういわば「対等」な関係性を表すために、あえてバルコニーの内と外で隔てられた２人の位置関係が解消されたと考えることはできないでしょうか。必ずしもそのことだけがシェイクスピア以降に更新されたあらゆる『ロミオとジュリエット』関連の派生作品の主題的関心であったとは言い切れないでしょうが、いずれにせよ、そのようにして自己の主体性や人権を尊重する現代社会にあえて物語の焦点を置き換えることによって、親子という支配する側と支配される側が存在した中世的な社会通念をパロディ的にとらえていると考えてみる機会を『ロミオとジュリエット』という物語は与えてくれているといえそうですし、またそうした理不尽な状況を屈折した形で読み換えているのがラーマン版『ロミオ＋ジュリエット』なのです。

　バルコニー・シーンの更新についてもう少し考えてみましょう。さきほど『ロミオ＋ジュリエット』ではバルコニー

の存在は無効化されていると述べましたが、実は劇中にバルコニーが出てこないわけではありません。ただ興味深いのは、バルコニーが、上でみたように、2人を隔てる物理的な障壁のような役割を果たす仕掛けにはならず、それどころかバルコニーの存在感が無効化されることと連動し、関連する場面自体がまったく別の展開に作り変えられることで、『ロミオとジュリエット』の物語を知っている私たちの期待をあえて裏切っていることです。バルコニー・シーンに至る一連の出来事のシークエンスを知っている物語の受容者は、そろそろバルコニーが出てくるぞ、そうしたら例のあの同じ場面が繰り広げられると期待します。ところが期待するだけさせておいて予期したとおりには物語は進んでいかないのです。なるほど細かい物語のシークエンスがアップデートされているのは事実ですが、それでもやはりロミオはキャピュレット家の塀を超えてジュリエットの部屋のバルコニーの下まで一応はたどり着くのですが、ジュリエットが窓辺に姿を現すことはありません。ラーマン版では、ジュリエットはロミオが身を隠しているプールのある庭へと降りてくるではありませんか。ここからが注目すべきポイントとなるのですが、ジュリエットはロミオの存在に気づかないまま、ひとりで例の台詞（「ロミオ、ロミオ、どうしてあなたはロミオなの？」）をつぶやくのです。ここから物語は大幅に書き換えられ、まったく異なった展開をみせます。ジュリエットは彼女の背後に立ったロミオの気配に驚き、思わず悲鳴をあげ、その拍子に2人はプー

ルに落ちてしまいます。そしてロミオとジュリエットは水に浮かびながら愛を誓いあうのです。もちろんこうしたガーデン・プールの場面は原作にその痕跡などあるはずもなく、完全にオリジナルな演出です。原作に忠実なアダプテーションを求める向きには批判の対象になりそうな改変といってもいいでしょう。シェイクスピアの原作や、それに忠実な先行映像作品や舞台を鑑賞した経験のある物語の受容者のなかには斬新すぎて驚いてしまう人もいるかもしれません。

　ついでながら、このバルコニーならぬプール・シーンについてひとつ触れておきたい点があります。それは「水」をめぐるメタファー（隠喩）です。『ロミオ＋ジュリエット』ではこのプールでの官能的な若い２人の戯れの場面が典型的に表しているように、どうやら「水」を象徴的に用いる演出が多くなされているといえます。映画本編を思い返してほしいのですが、仮面舞踏会でロミオとジュリエットが初めて出会うシーンにも「水」がかかわっていましたね。２人は水槽をはさんで出会っていました。また、後にロミオがディボルトを殺してしまう場面も広場の噴水が効果的に使われています。このように、プール・シーンに限らず、ロミオとジュリエット２人の恋が始まるときも、愛を誓いあうときも、またその行く末についての不吉な予兆を暗示するときも、物語のいくつかの場面で「水」が印象的に描き込まれていますね。水は生と死のプロセスを象徴する物語的効果を狙って、ロミオとジュリエットの純粋な愛だけでなく、２人を待ち受ける悲し

い運命を暗示してもいるのです。こうした凝りに凝った文学的演出もまた、ラーマン監督が加えた新たな解釈、すなわち物語の可能性のひとつであると考えていいでしょう。

さてここまでは『ロミオ＋ジュリエット』のバルコニー・シーンにまつわる更新を中心に分析を進めてきましたが、これ以外にもシェイクスピアの原作が書き換えられている点はいくつかあるのですが、なかでももっとも重要な場面として、許されざる恋のもたらす運命の行きつく先、またそこから先の物語の結末について考察してみましょう。このシーンについても、『ロミオ＋ジュリエット』はシェイクスピアの原作をかなり大胆に更新しています。物語のメイン・プロットにそれほど大きな影響を与えない例としては、ジュリエットの婚約相手パリスをロミオが殺してしまうというシーンがなくなっていることがあげられます。シェイクスピアの戯曲のプロットをたどってみると、仮死状態となったジュリエットが安置された教会の墓所にロミオが到着したときに、そこに居合わせた男をパリスであるとは気がつかずに決闘し、ロミオは彼を殺してしまいます。本来なら部外者であったはずのパリスもモンタギューとキャピュレット両家の争いの犠牲者となったわけで、考えてみればマキューシオにティボルト、そしてパリスといった罪のない人々が命を落とすという理不尽な現実というか、物語の悲惨さが強調されてるといえます。ところが、『ロミオ＋ジュリエット』ではロミオとパリスとの間のそのようなやり取りの描写が削除されているのです。ち

なみに、ゼフィレッリ監督版でもパリスとの決闘場面は削除されていますので、ラーマン版の演出がオリジナルというわけではありません。それにしても、どうしてこの場面にパリスが登場しなくなったのでしょうか。いくつか説明のしかたがあると思います。単に尺の問題かもしれませんが、どちらかといえばクライマックスにいたる物語のスムーズな流れを妨げているともいえますし、そもそもそれほど重要なやり取りとはいえないからと考えるべきでしょう。そういってしまうと身も蓋もないので、もっとも物語のテーマ的関心に依拠した読みを提示するとすれば、両家の争いによって引き裂かれることになった若い男女2人の悲劇的な愛を、ともすれば余計な物語的展開をそぎ落とすことで集中的に強調して描き、それにより運命の偶然とそれがもたらすより痛ましい悲劇に焦点を絞ったということでしょうか。

　それではプロットの流れに大きな影響を及ぼす可能性のある物語更新の具体例として、若い2人が命を散らす場面をみてみましょう。すでに述べたように、『ロミオ＋ジュリエット』では、ロミオがパリスと決闘してから毒薬を飲むというシェイクスピアの戯曲にもとづいた結末近くの一連の物語展開が変更されているわけですが、物語の受容者のなかにはロミオがパリスという罪のない人物を殺した罪の意識から死を選んだという解釈をしてしまう可能性もあるでしょう。しかしこのシーンをあえて削除したことによって、ジュリエットが死んだ現実を目の当たりにし、絶望のあまり毒薬を飲むという

ストーリー展開に説得力が生まれます。ロミオの死がジュリエットに対する愛の証として強調されるわけです。つまり 2 人の悲恋を理不尽な形で成就する点をより明確に表現するために、ここにいたる一連の場面が更新されたのではないでしょうか。

　しかしこれだけではありません。『ロミオ＋ジュリエット』はもうひとつ大胆な結末の書き換えを試みています。しかも、その書き換えはもう少しのところでまったく新たな物語展開さえ提示しそうなインパクトを秘めているのです。もっとも、最終的には物語は収まるべきところに収まっていくことになるのですが。そのあたりをかいつまんで話すと、ロミオが毒を飲むのその直前にジュリエットは眠りから覚め、そのタイミングであるいは彼女が愛するロミオを救う可能性さえありえたことが描き込まれているのです。ジュリエットがロミオを救う。もしこうした奇跡的な結末が成立していれば、果たして物語の受容者がそれを望むかどうか、またそのような結末がそもそも適切あるいは満足を与えてくれるものであるかは別にしても、少なくとも悲劇にはほど遠く、それどころか幸せで安心させてくれる、しかしながら同時に安易な結末になっていたのかもしれません。仮にロミオもジュリエットも命を落とさずに物語が終わったとしたら、それはそれでおとぎ話的でよかったといえるのかもしれませんが、何となく納得できない思いが残る人もいるのではないでしょうか。ちなみに、シェイクスピアの戯曲を上演する際に、原作への忠実

さを重んじるようになったのは19世紀以降のことであり、それ以前には、今では考えられないくらいに自由で柔軟な物語のアダプテーションは普通に行われていたことが知られています。なかには、『ロミオとジュリエット』の派生作品の系譜をたどると、なかには実際に2人が助かるという展開の物語更新もあったようです。いずれにせよ、ラーマン版『ロミオ＋ジュリエット』でのジュリエットの目覚めのタイミングが、物語の結末さえ作り変えかねない重要な更新の要素になりえる可能性があったことはまちがいありません。ですがそれは単に主人公たちが最終的に救われることである種の茶番劇的展開を可能性としてとりわけ強調しようというわけではなく、社会的対立と情報の行き違いから生じた混乱がすべて回収され、愛し合う2人が救われる偶然性を演出しながらも、逸脱的な物語のベクトルを「原作」のほうへと向け直すことで、本来そこにあるべき「悲劇」を再刻印するための演出であったのでしょう。ある意味で、前述のプール・シーンに勝るとも劣らない大胆な物語の見直しといっていいと思います。

　では、さらにもう少し『ロミオ＋ジュリエット』の結末部分について考察を深めてみましょう。シェイクスピアの原作戯曲はもちろん、たとえば原作に忠実であるといえる前述のゼフィレッリ版『ロミオとジュリエット』においても、秘薬を飲み墓所で仮死状態のジュリエットの元にロミオがやってきて、服毒し息絶えたあとにジュリエットは目を覚まします。さきほどの話の繰り返しになりますが、ラーマン版ではロミ

オが服毒するぎりぎりの瞬間に意識を回復します。より正確には、目覚めかけた状態というべきでしょうが、いずれにせよそこでロミオの行為を認識し、引きとめることができていれば、最悪の事態は回避できたという、まさにぎりぎりのタイミングです。シェイクスピアの原作やゼフィレッリ版では若い2人が生きて再び顔を合わせることはなかったのに対して、『ロミオ＋ジュリエット』では、目が覚めたジュリエットはうれしそうにロミオの顔を見ますがそのときにはすでに遅く、ロミオは毒を飲んだ後という、何というかほんのちょっとした行き違い、もしくは運命のいたずらですね。原作や先行する映画版では、こうした不吉な事の成り行きは届かぬ手紙により生じるわけですが、96年版では、これに加えてもうひとひねり物語を展開させ、情報の行き違いがもう少しのところで解消され、ついに2人が結ばれるかような瞬間までが用意され、そのうえでやはり最終的には原作どおりにロミオが亡くなってしまうという、大どんでん返しが押し戻されてしまう興味深い結末になっているのです。それでも息も絶え絶えのロミオと突然の出来事に驚きうろたえるジュリエットが最後の言葉を交わすことができるという展開はきわめてお涙頂戴のメロドラマ的演出ではあるかもしれませんが、せめてもの救いの期待とその裏切りを望む気持ちという相反する感情を同時に刺激するインパクトをもった場面に仕上がっています。

　私たちは『ロミオとジュリエット』という物語のマトリク

スに包摂されるストーリーワールドのヴァリエーションがつねに若い2人の犠牲を前提としていることを経験的に認識しています。そうでなければ『ロミオとジュリエット』ではないと多くの人は考えるのではないでしょうか。そういう意識というか物語経験の総体が、理論編でも話しましたが、あらゆる物語の可能性を包摂する「マトリクス」なのです。とはいえ若い2人がその命を散らさなければ物語は成立しえないと理解しつつ、どこかで何とか助けることはできないだろうか、いやどうにかして生き延びてほしいと思ってしまうのもまた事実ではないでしょうか。もちろん主人公が死なない『ロミオとジュリエット』なんで邪道であると考える向きも当然あるでしょうが、さきほども言及したように、シェイクスピア以降の『ロミオとジュリエット』の物語ヴァリエーションには2人が亡くならないヴァージョンも存在したことが歴史的に確かめられています。シェイクスピアの戯曲に忠実にアダプテーションしなければならないという制度化された近代的物語更新のあり方を、私たちは当たり前のように受け入れているにすぎないのです。もちろんロミオやジュリエットが死なない物語的結末が適切であるのかどうかについてはこの際問題にしません。そうではなくて、一見逸脱的で荒唐無稽な物語展開であっても、それもひとつの物語的可能性であることに変わりはありません。私たち物語の受容者が認識し更新していくストーリーワールドには、そのような異端な事象や物語のシークエンスも含まれる、このことを物語のマトリ

クスのありようとともに理解しておきたいところです。

　『ロミオ＋ジュリエット』では、ラーマン監督を中心とした製作スタッフによる独自の解釈が物語の随所に施されただけでなく、事象や人物造型に関連する設定の追加も行われて、まったく新たなストーリーワールドができあがっています。このことが『ロミオ＋ジュリエット』という作品の可能性を広げ、受容者が物語経験のたびに、読みとったストーリーワールドを(再)概念化することで物語の(再)創造に関与しているのです。物語を経験するたびに、私たちはその物語のストーリーワールドをとらえ直し、それを他の受容者と共有する形で総体的に物語のマトリクスを形成しています。同一もしくはその派生作品を受容する物語経験を経ることで、ストーリーワールドの全体像は変わっていくのです。私たちも含んだあらゆる物語の受容者／創造者に継承、共有され、絶えず変化していくストーリーワールドの記憶は、物語経験をつうじて重なり合い、それが「物語」そのものが潜在的にもつ可能性を広げていくからです

　では最後に、『ロミオ＋ジュリエット』についての物語更新を図解してみましょう。

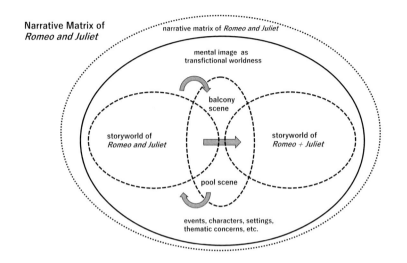

Narrative Matrix of
Romeo and Juliet

narrative matrix of *Romeo and Juliet*

mental image as
transfictional worldness

balcony
scene

storyworld of
Romeo and Juliet

storyworld of
Romeo + Juliet

pool scene

events, characters, settings,
thematic concerns, etc.

　ラーマン版『ロミオ＋ジュリエット』はシェイクスピアの戯
曲を原作としつつも、現代化されたまったく新しい物語の舞
台で展開するわけですから、当然のことながらそのストー
リーワールドは原作のストーリーワールドとは接点をもたな
いまったく別個の世界です。しかし、すでにみたように、公
式アダプテーションであるこの作品の基本的な物語のシーク
エンスはシェイクスピアの原作を継承しており、またキャラ
クターたちの台詞にかんしても縮減や細かな変更はあります
が、おおむね踏襲されていました。バルコニー・シーンは巧
妙にプール・シーンに変更されていますが、それは恣意的な
変更ではありません。つまり、バルコニー・シーンとプール・
シーンは具体的な表現こそ異なってはいますが、同じメンタ

ル・イメージとして認識することが可能であるからです。バルコニーはプールに置き換えられることで、トランスフィクショナル(物語横断的)な「世界性」を形成し、そのようにして共有される「世界性」が異なる物語どうしを結びつけるメンタル・イメージを担保する役割を果たしていると考えられます。たがいに共有部分をもたないシェイクスピアの『ロミオとジュリエット』とラーマン版『ロミオ+ジュリエット』はトランスフィクショナルなメンタル・イメージを共有することで、異なる時空間に生起する物語内容であったとしてもたがいに融合しあう部分を獲得し、それぞれのストーリーワールドがさまざまに結びつきあう可能性を物語の受容者に幻視させるのです。

　説明を補足すると、上の図ではシェイクスピアの『ロミオとジュリエット』、ラーマン版の『ロミオ+ジュリエット』のストーリーワールドをそれぞれ破線で表現しています。破線の意味はそれぞれのストーリーワールドが受容者の物語経験により変わりうる、すなわち不定形であることを示しています。本来重なりあうことのない2つのストーリーワールドが融合する可能性があるとすれば、それはすでに説明したように、異なった世界であるにもかかわらず、もしかしたら同じかもしれないと想像をかきたてるような事象やキャラクターの言動、またテーマ的な関心の一致を物語の受容者が認識することで生まれます。『ロミオ+ジュリエット』の場合、それがこのタイトルをもつ物語であれば欠くことのできない場面、

たとえば若い2人の愛の語らいを具現化したバルコニー・シーンとしてその場面の記憶を刻印しつつ巧妙にずらすことで、物語的可能性を更新してみせたプール・シーンなのです。バルコニー・シーンとプール・シーンはともに物語の受容者の中で同一と認識可能なメンタル・イメージとなって定着し、共有されるメンタル・イメージが作り上げるトランスフィクショナルな「世界性」は、シェイクスピアとラーマン監督による異なる2つのストーリーワールドを決して単純に融合させるものではなく、そうした物語のずれを屈折させた形で、たがいの差異を痕跡として残存させたまま、同一の物語のマトリクスの中に収める役割を果たしているのです。

2：『アラジン』における物語更新

　1992 年に公開された『アラジン』(*Aladdin*)は多くの人々によく知られた物語だと思います。ディズニー製作のアニメーション映画としては第31作となるこの作品は興行的に大成功を収めました。続編として、『アラジン ジャファーの逆襲』（*The Return of Jafar,* 1994)、『アラジン完結編 盗賊王の伝説』(*Aladdin and the King of Thieves,* 1996)がオリジナル・ビデオ・アニメとして製作され、これら 3 作は『アラジン 3 部作』と総称されることがあります。また前者 2 作の後日譚として、テレビ・アニメ作品『アラジンの大冒険』(*Aladdin,* 1994-95)が公開されています。さらに、2011 年にはアニメ版を原作としたミュージカル版『アラジン』も製作、上演され（初演の場所はシアトル）、2014 年にはブロードウェイでも上演されています。このように、『アラジン』をめぐる物語更新は多岐にわたり、そのすべてをたどるのは困難ですが、ここではアニメ版『アラジン』とこれを原作とする実写映画アダプテーション『アラジン』(2019年)に焦点を絞り、この 2 作の原案に相当する『アラビアン・ナイト』（これは英訳版をもとにした通称で、正式には『千夜一夜物語』といいます）の「アラジンと魔法のランプ」の物語言説および物語内容の特質にも目を配りながら、実写版における物語更新の痕跡と可能性、またこれらの作品を包括する物語のマトリクスがどのように特質を帯びているか、そのあたりを探ってみ

たいと思います。

　まずは、ディズニー版『アラジン』をめぐる物語更新の流れを検証してみましょう。『アラジン』に関連するあらゆる派生作品の起源が、「アラジンと魔法のランプ」にあることはすでに述べましたが、このあまりにも有名な物語について少し確認しておきたいと思います。もともと、この「アラジンと魔法のランプ」は『千夜一夜物語』のアラビア語原典には収録されていないことは意外に知られていないかもしれませんね。じつはフランス語訳『千夜一夜物語』が出版された際に、「アラジンと魔法のランプ」はまったく別のソースから組み入れられたものであるとわかっているのですが、物語更新の起源を探るという点では、この問題はとても興味深いものです。とはいえ、物語の変遷そのものをたどることは本題からそれてしまいますので、ここではこれ以上深堀りはしないことにします。そもそもディズニー・アニメの『アラジン』は『アラビアン・ナイト』の「アラジンと魔法のランプ」の題名と主人公の名前こそ踏襲していますが、物語内容に限っていえばかなり異なっています。というか別の作品といってしまってもいいくらいの違いようです。原作のアラジンはどちらかといえば怠け者であり、他人の力ばかり頼りにしている人間です。彼の才能といえば魔人の力をうまく利用できることですが、それは機転をきかせ危機的状況を切り抜ける偶然というか幸運に左右された、場当たり的行動が結果的に功を奏しただけなのです。みずからの言動を反省し、改心したりなど

まったくしません。これに比べると、ディズニーのアラジンは、アニメ版にせよ実写版にせよ共通しているのですが、貧しい身分に生まれ、厳しい現実を生き延びるためにコソ泥まがいの悪事を働きながらも、根はまじめで思いやりと勇気に満ちた好青年です。いうなれば、キャラクター的にマイナスな部分は極力描き込むことを抑制し、冒険ロマンス物語にふさわしい勇気と誇りと良心をもちあわせた典型的なヒーローとしての素質をもち、またヒロインのプリンセス・ジャスミンにふさわしい相手として、その人物造型がリセットされているといえるでしょう。

　さてディズニーの『アラジン』は「アラジンと魔法のランプ」の物語内容と似ているところがないことはないのですが、全体的にはかなり食い違う部分も多く、より冒険とファンタジー色の強調された物語へと変換されています。主人公アラジンのキャラクターが設定変更されていることはすでに述べましたが、それ以外にもアニメ版でのキャラクターの設定変更にも言及しないわけにはいきません。たとえば、ランプの魔人ジーニーについて考えてみましょう。原作のジーニーはいくらでも願いを叶えられるのですが、どちらかといえば主人に仕える家来のような存在となっていました。これに対してアニメ版『アラジン』は、そのあたりを自由かつ柔軟な発想で新たなキャラクター像を構想し、あの気さくで陽気なキャラクターを創作しています。ちなみに、「アラジンと魔法のランプ」にはランプの魔人のほかに指輪の魔人も出てきま

す。アニメ版にせよ実写版にせよディズニー版のジーニーは、原作の魔人２人を統合したようなキャラクターとして人物造型が更新されているのかもしれません。いずれにせよ、アニメ版は原作の世界を書き直し、物語の世界で生起する主要な出来事や人物造型などストーリーをつかさどる諸要素を自由に組み直し、あるいは場合によって新規に創作することで、独自の物語を生み出しているのです。

　さてアニメ版『アラジン』では、こうしたキャラクター変更が冒険恋愛ロマンス的な色合いが強調に役立っているといえるのですが、このアニメ版をあらためて原作に設定して製作された実写版『アラジン』（ガイ・リッチー監督）です。ただしアニメ版のリメイクにとどまるものではないことは、実写版『アラジン』には興味深い物語更新のプロセスの痕跡を観察することができることからわかります。それでは、まず物語のあらすじをたどることから考察をはじめてみましょう。

　アグラバー王国にある市場で相棒のアブーと盗みを働いて暮らす青年がいました。その名はアラジン（演：メナ・マスード）。彼には貧しい空腹の子どもに食べ物を分け与える優しさがありました。慣習で決められた王子との結婚を嫌い、お忍びで市場を歩く世間知らずの王女ジャスミン（演：ナオミ・スコット）がパン屋と起こした騒ぎを聞きつけたアラジンは、ブレスレットを店主に渡すように見せかけ、こっそり取り返しジャスミンに渡します。追手を振り切った２人は、アラジンの暮らす部屋でたがいの夢を語り合います。

宮殿へ帰ったジャスミンを父親のサルタン（国王、演：ナ
ヴィド・ネガーバン）と婿候補の王子が迎えます。しかしジャ
スミンは結婚に積極的ではありませんでした。国王の後を継
ぎ、国民の暮らしを助けることに意欲的なジャスミンにとっ
て、女性という理由でそれが認められないのは理不尽であり、
なおさらそのことが彼女の気持ちを結婚から遠ざけていたか
らです。

　いっぽう、アラジンはアブーが盗んでしまったジャスミン
のブレスレットを返すために城に侵入しますが、国務大臣の
ジャファー（演：マーワン・ケンザリ）に捕えられます。ジャ
ファーはアラジンにジャスミンが王女であることを明かし、
法律により王女は王子としか結婚ができないと伝えます。落
ち込むアラジンにジャファーは、お金持ちにする手助けする
代わりに、魔法の洞窟から、他の財宝には触れずに魔法のラ
ンプだけを取ってくるよう命じます。魔法の洞窟に入ったア
ラジンとアブーは岩に挟まった魔法の絨毯を見つけます。絨
毯を救出したアラジンは、次に魔法のランプも手にします。
しかしアラジンがランプを手にした瞬間、アブーが他の財宝
を触ってしまい、怒った洞窟の主によって洞窟は崩れ出口が
塞がれてしまいます。途方に暮れるアラジンでしたが、気を
取り直し、魔法のランプを擦ります。ランプから現れた魔人
ジーニー（演：ウィル・スミス）は、主人の願いを３つ叶え
ると言います。

　ジーニーの力を借りて、アブーと洞窟から脱出したアラジ

ンは、さっそく1つ目の願いごととして王子にしてほしいと願います。アリ王子に変身したアラジンは、婿候補としてジャスミンを訪問します。その夜、アラジンはジャスミンを魔法の絨毯に乗せて2人だけの空中散歩を楽しみます。アラジンの正体を見破ったジャファーは、魔法のランプを渡すよう詰め寄り、アラジンは捕われ、縛られたまま海に突き落とされます。

　ジーニーに助けられ意識を取り戻したアラジンは、ジャスミンや国王の前でジャファーの悪行を暴きます。サルタンはジャファーを牢屋へ入れますが、オウムのイアーゴに鍵を持ってこさせ脱出したジャファーはランプを奪い、サルタンやジャスミンの前でジーニーを呼び出します。そして彼は自分を国王にせよとジーニーに命じます。しかし護衛たちが自分に従わないことに腹を立てたジャファーは、世界でいちばん強力な魔術師になることを願います。

　かくして最強の魔術師となったジャファーは、アリ王子が本当は泥棒のアラジンだと皆の前で暴露します。アラジンとアブーを氷と雪の世界へと追放し、ジャスミンに結婚を迫ります。逆らえば国王と侍女ダリアを殺すと脅されたジャスミンは結婚を承諾します。仲間に助けられ苦難を脱したアラジンは王国に戻り、「どんなに強力でも、宇宙でいちばん強力なジーニーより強くなれない」とジャファーを挑発します。ジャファーは最後の願いとして、「宇宙でいちばん強力な存在にせよ」とジーニーに命じます。だがその願いの成就と引き換え

に、ジャファーは自分のランプに吸い込まれてしまいます。宇宙でいちばん強力な存在になるということは、ジーニーのように主人を持つことだからでした。ランプに封印されたジャファーとイアーゴは、ジーニーにはるかかなたへ投げ飛ばされます。

　すべてが以前の状態に戻り、自分のランプへ帰ろうとするジーニーにアラジンは最後の願いごとを告げます。それはジーニーを自由の身にすることでした。人間の姿となったジーニーは、たがいに想い合う侍女ダリアと船で世界中を旅することを決めました。またジャスミンは、父から国王の地位を譲られます。国王になればその権限で法律を変え、相手が王子ではなくても結婚できます。アブーと城を去ろうとするアラジンをジャスミンが引き留めます。ジーニーやダリアに見守られ、アラジンとジャスミンは結ばれるのでした。

　少し長くなりましたが、物語の流れをていねいにたどると以上のようになります。ところで、アニメ版『アラジン』をみたことのある人ならおわかりと思いますが、実写版『アラジン』の基本的なストーリーラインはほぼ同じであるように思われます。ということは、実写版『アラジン』も原作としてクレジットされた「アラジンと魔法のランプ」からは物語内容が大幅に変更されているわけで、最初にも述べたように、アニメ版3部作やテレビシリーズ、それに舞台ミュージカル版『アラジン』が、すべて92年のアニメ版から派生した作品であることから、『千夜一夜物語』はもはや形式的に「原典」

としてクレジットされるだけで、事実上アニメ版の物語内容
が、『アラジン』をめぐる物語更新の重要なフォーマットと
なっているのです。とはいえ、「アラジンと魔法のランプ」と
ディズニーの『アラジン』(アニメ版および実写版)における
物語的な異なりを詳細に検討してみたとしても、単に物語の
舞台やキャラクターの変更や追加、また細かな出来事の展開
を参照するだけでは、比較のための比較として以外にあまり
考察の意味を見出すことはできないでしょう。より重要なこ
とは、原案からアニメ版、実写版が創造されていく過程で、
それぞれのストーリーワールドがどのように関係しあうもの
として物語の受容者／創造者に認識され、またそこからどの
ような物語更新の可能性が生まれるか、さらには継続的な物
語更新を裏書きする性に変化がどのように生起しているかを
検証することです。

　ひとことでいうなら、『アラジン』はアニメ化、実写化を経
て、「アラジンと魔法のランプ」よりも冒険ロマンス性を際立
たせたことが物語更新の特質です。リアリズム・ベースの物
語をめざすのではなく、ファンタジー的側面が前景化された
ことで、主人公アラジンの自己実現という主題的関心が前景
化され、またこれと連動して、王女ジャスミン、敵対者ジャ
ファー、そして援助者ジーニーといった明確な人物造型が与
えられたことも物語更新のポイントとして見逃せません。こ
うした冒険ロマンス性が物語の全体的雰囲気を印象づけるス
トーリーワールドの構築に貢献しているのが、劇中で使用さ

れる数々の楽曲です。ディズニー版『アラジン』の物語更新を特徴づけているのは、ミュージカル風アニメと劇中曲だといっても過言ではないでしょう。みなさんもきいたことのある曲ばかりではないかと思います。「アラビアン・ナイト」("Arabian Nights")、「一足お先に」("One Jump Ahead")、「フレンド・ライク・ミー」("Friend Like Me")、「アリ王子のお通り」("Prince Ali")、そして「ホール・ニュー・ワールド」("A Whole New World")など、魅力的な劇中歌が、その歌詞やメロディ、またキャラクターによる歌唱をつうじて、親しみやすく、それでいて壮大でロマンティックなトーリーワールドを形成しているのです。こうした楽曲もまた物語のストーリーワールドの一部であり、物語経験の記憶をとどめる重要なメンタル・イメージとして、更新の過程で変遷していく物語の同一性の担保や差異の表象に大きな力を発揮していることはまちがいありません。

　劇中の楽曲そのものが物語のメンタル・イメージとなり、ストーリーワールドの記憶を形成する一例として、「ホール・ニュー・ワールド」を取り上げてみましょう。もちろんこれはアニメ版、実写版双方においてアラジンとジャスミンとのラブロマンスを象徴的に描き出す場面として同様の物語的効果をあげています。

I can show you the world	見せてあげるよきみにだけ
Shining, shimmering, splendid	光輝く素晴らしいこの世界を

Tell me, princess, now when did	ねえ教えてお姫さま、心を決めたことは
You last let your heart decide?	今までなかったの？
I can open your eyes	目を開いてあげるよ
Take you wonder by wonder	いろんな不思議を見せるから
Over, sideways and under	上にも、横にも、下にも飛び回ろう
On a magic carpet ride	魔法の絨毯に乗って
A whole new world	新しい世界何もかも
A new fantastic point of view	今までにない空想に満ちた見晴らし
No one to tell us no	誰にもだめと言われない
Or where to go	どこへ行けとも言われない
Or say we're only dreaming	夢想家だとも言われない
A whole new world	新しい世界何もかも
A dazzling place I never knew	知らなかった目も眩む場所
But when I'm way up here	でもここまで上がってくると
It's crystal clear	はっきりとわかる
That now I'm in a whole new world with you	今あなたと何もかも新しい世界にいることを

ミュージカルなどで使用される楽曲については、歌詞の内容やメロディの抑揚がキャラクターの内面を表現する点に意味を見出すことができます。つまり楽曲そのものがストーリーワールドの「世界性」の一部を凝縮し、またそれを物語のメンタル・イメージとして受容者に印象づけるという重要な役割を果たすのです。『アラジン』の場合、とりわけ「ホール・ニュー・ワールド」が物語の「世界性」を定位する役割を満たす楽曲となっていることが重要です。この曲では魔法の絨毯に乗って世界をめぐるアラジン（ここではアリ王子）とジャ

スミンがデュエットします。これにより2人の心の結びつきとロマンスの可能性を感じさせる効果が生まれています。まさに『アラジン』の世界そのものを裏書きするようなイメージですね。この曲がストーリーワールドの記憶そのものでさえあるといってもいいようです。

　ところで、アラジンとジャスミンが魔法の絨毯でデートをするこの「ホール・ニュー・ワールド」のシーンで、2人が飛び回る場所の描写がアニメ版と実写版では異なっていることに気が付きましたか？話が少し脱線することになりますが、少しだけこのことに注目してみましょう。アグラバー王国は架空の国であり、モデルはイラク近隣ということらしいですが、アニメ版ではアグラバーからどうやら中国あたりまで飛行していることが、劇中の描写、具体的には建物やその場所の人々の営みからもわかります。これに対して実写版では、同じく宮殿を飛び立つのは変わりませんが、どうやら飛行する地域はアグラバー王国周辺のみに限られているようです。もちろん飛行する時間自体が劇中では「ホール・ニュー・ワールド」一曲分の時間に圧縮されて描写されており、物語内容的にはそれ以上の長さであったと当然想定されるわけですが、物語内容と言説の時間が同一ではないという理解は物語論の常識です。ただし、仮に魔法の絨毯の飛行デートは数時間継続していたとしても、一晩のうちに2つの国の間を行き来するのはあまり現実的ではありません。もっとも、これは架空のファンタジーなのですから、リアリズムの規範を強制的に

当てはめてみても意味はないのでしょうが、それでも実写版ではこのあたりの流れがより現実的に処理され、飛行範囲はアグラバーの街の周辺にとどまっています。

　いずれにせよ、実写版はアニメ版に比べてリアリズムを優先したという説明では十分ではありませんが、このような描写の変更が施されたのは、アニメ版では描かれることのなかったある重要なポイントが実写版では強調されているからということは考えられます。実写版『アラジン』における「ホール・ニュー・ワールド」のシーンは、主人公アラジンとともに、アニメ版以上に焦点の当たっているジャスミンのキャラクターと、彼女に言動や人生観に関連した物語の主題的関心と結びつく重要な場面としてとらえ直されているのです。端的にいうなら、このシーンでは魔法の絨毯の飛行コースをアグラバー王国内に限定することによって、ジャスミンが自国や国民の様子を見て回る機会を与えられ、それにより彼女が国を治める指導者としての自覚を確認するに至る過程が強調されているのではないでしょうか。実写版での「ホール・ニュー・ワールド」のシーンはこうした重要な物語の流れを受容者に具体的にわかりやすく提示しているのです。

　ここまでの分析からもわかることは、実写版『アラジン』はアニメ版の表現様式を置き換えただけの単なるリメイクではなく、キャラクター造型を例にとってみても、かなり大胆な変更が施されているということです。ユニークなキャラクターたちが物語を彩っていることも特徴ですからね。アラジ

ンの相棒サルのアブーやジャスミンがかわいがっているトラのラジャー、それにまるで人格をもった魔法の絨毯など、単に登場人物が増えただけでなく、彼らの活躍はストーリーワールドの時空間的広がりと出来事の多様化に貢献し、スケールの大きな、より恋愛や友情、絆や生きることの意味などの主題的関心を内包した明るく迫力のある作品となっているといえます。ただ、それだけではなく、実写版では新たなキャラクターが追加されたり、既存のキャラクターであっても、アニメ版では描き込まれなかった人物的側面を垣間見ることのできる言動などが表現されたりしています。

　このことはとりわけジャスミンの人物造型およびその表現の面で顕著にあらわれています。たとえばジャスミンはアニメ版でのキャラクターの忠実な実写化に見えるかもしれませんが、実際にはかなりのキャラクター変更が行われているといえます。変更というより、追加あるいはより正確には、焦点の当て方の変化といったほうがいいかもしれません。「アラジンと魔法のランプ」ではあまり主役級の扱いを受けていなかった宮殿のお姫さまが、『アラジン』では中心人物のひとりとしてより物語的に重要な役割を演じているのです。ジャスミンはアラジンの関係は物語にロマンティックな雰囲気を与えている点はアニメ版も実写版も変わるところはないのですが、アニメ版のジャスミンは、「身分にとらわれず、友情と愛が幸せをもたらす」という主題的関心を表現するための、どちらかといえば、アラジンとジーニーの友情関係とは別次元

のある種の添え物のような扱いであったのに対して、実写版『アラジン』では、そうしたステレオタイプ的な性格づけが問い直され、アニメ版と同じくロマンティックな部分も共有しつつ、しきたりを乗り越えた女性の自立や権利といった新しい価値観や考え方を反映して更新された主題的側面が強調されているのです。

　これを時代性に即したアップデートとでも呼べばいいでしょうか。実写版『アラジン』は、その物語更新の特質のひとつとして、ひとりの人間としてジャスミンの生き方を掘り下げることをめざしているのです。このような物語更新のあり方を例証するするのが、アニメ映画にはなく実写版ではじめて加わった新曲「スピーチレス～心の声」（"Speechless"）ではないかと思います。以下、この曲が追加された意味をふまえながら、その歌詞を中心に分析してみましょう。この曲が歌われるのは、強大な力を手に入れたジャファーが王国を支配し、父王サルタンともども捕えられたジャスミンが衛兵を払いのけ、みずからの心の内を雄弁に明かす場面です。その歌詞には、「誰も私を黙らすことなんてできない」というメッセージが込められています。もともとアニメ版では、アラジンやジーニーにソロ曲があっても、ジャスミンにはそれがありませんでした。アニメ版では、すでに述べたように、典型的なお姫さまキャラクターとしてのジャスミンの人物像を劇中表現されるもの以上に掘り下げて物語る曲を用意する必要性がなかったからでしょう。何しろアニメ版のジャスミンは、

強気で男勝りなところがあったにせよ、美しく、従順で、守られるべきステレオタイプ的な女性性のイメージを体現するようなキャラクターに過ぎなかった、少なくともそういう側面だけを強調すれば事足りたからです。これに対して、実写版のジャスミンには、現代の社会通念もしくは文化思潮に対応してのことだと思われますが、アニメ版ではまったくといっていいほど触れられることのなかった自己確認の問題やそれに付随した人生の目的意識などが前面に出されています。つまり、はじめからみずからが王を継ぐべき存在としての自覚と、それが慣習的に許されない現実との葛藤に悩む人物像を反映した形でキャラクターが構想されていると考えられるでしょう。そのために、彼女にはみずからが抱く強い信念と決意を堂々と語る場面が用意されたのです。「スピーチレス」を歌うことで、自立心と国を治める者としての自覚を土台とした勇気と決意に満ちたジャスミンのキャラクターが可視化され、物語の受容者の記憶に、『アラジン』のヒロインの新たな人物像が刻まれたのです。では、実写版ジャスミンの生き方を象徴する「スピーチレス」の歌詞を引用してみましょう。

Here comes a wave	波が打ち寄せ
Meant to wash me away	私を押し流そうとする
A tide that is taking me under	大波にとらえられ
Swallowing sand	砂に飲み込まれてしまう
Left with nothing to say	語ることばを失って
My voice drowned out in the thunder	私の声は雷鳴にかき消される

But I won't cry	でも泣いてなどいられない
And I won't start to crumble	このままつぶされるわけにはいかない
Whenever they try	たとえいつ囚われの身となり
To shut me or cut me down	この身が切り裂かれようとしても
I won't be silenced	黙ってなどいられない
You can't keep me quiet	静かにさせようとしても無駄なこと
Won't tremble when you try it	口を封じようとしても私は震えたりしない
All I know is I won't go speechless	わかっているから、声をあげずにいられないと
'Cause I'll breathe	息をしてみせるから
When they try to suffocate me	窒息させられそうになっても
Don't you underestimate me	私を過小評価などしないで
'Cause I know that I won't go speechless	だってわかってるから、声をあげずにいられないと

　紙面の都合により歌詞全体の引用は控えますが、上にあげた箇所だけをみても、ジャスミンが初めてソロで歌うこの「スピーチレス」が、アニメ版では強調して描かれることのなかった彼女のキャラクター、すなわち自分に与えられた役割に対する彼女の自覚やそれを実現するために必要な芯の強さもっていることを示す内容を備えた曲であることがわかると思います。繰り返しますが、アニメ版のジャスミンはお転婆で活発でありながら、あくまで箱入り娘のお姫さまに過ぎませんでした。アラジンと出会ってからも、彼に外界に連れ出してもらうなど、主導権はたえずアラジンの側にあり、どちらかといえば受動的な存在として設定されている印象でした。いっぽう実写版のジャスミンは、強い意志を備えた自立心を秘めた存在としての人物造型が際立っています。たとえばそ

のことは、彼女が父王に対して、自分があとを継いで国を治めたいと訴える場面にみてとることができるでしょう。これまで女性の国王はいなかった反対されても、ジャスミンは決してその意志をそがれることはありませんでした。物語の最後では娘の勇敢な行動に心を動かされ、サルタンはジャスミンに国王の座を譲ることに同意します。こうしたジャスミンの性格や自己意識がアニメ版には存在していなかったのかどうかは、じつのところわかりません。そういった面が積極的には表現されていなかったからです。実写版では、彼女の意志の強さを強調する物語的可能性が前面に出され、それがジャスミン自身の歌う「スピーチレス」に凝縮されて伝わってくるのです。

　ところで、主要キャラクターの人物造型の変更が物語更新に作用している例としては、悪役ジャファーもあげることができるでしょう。狡猾な悪役の面が強調されたアニメ版のジャファーに対して、実写版の彼は理知的で冷酷な性格がバランスを保っており、それがかえって複雑で難解なキャラクターの掘り下げにつながり、結果としてより精神的な深みをもったキャラクターとして造型されたのだと思います。ついでながらジャファーの年齢設定についても、ひそかに国王の座を狙うという立場にあるという設定が影響しているとはいえ、アニメ版では、無理やりジャスミンと結婚しようと画策するにはやや無理のあるかなり年配の人物に設定されていたのに対して、実写版のジャファーは、演じる俳優による役作

りもあいまって、より若く設定されているようです。それゆえ、この面での不自然さは相対的には解消されていると思われます。

　実写版『アラジン』の主要登場人物には、新たに追加された例もあります。そのうちのひとりが侍女ダリア（演：ナシム・ペドラド）です。ジャスミンに仕える身であり、同時に彼女の親しい友人にして姉のようにたよりになるダリアの存在は、女性主要キャラクターが事実上ジャスミンひとりだったアニメ版の物語的状況とはまったく異なっています。ジャスミンを見守り支える役割を担ったダリアは、ジャスミンとアラジンの恋愛関係においては２人の仲を取り持つ存在として活躍するだけでなく、彼女自身もジーニーといい仲となり、最終的には人間になった彼と結ばれます。ジーニーと家庭を築くという展開はアニメ版ではまったく語られることのなかったものであり、物語の後日譚として考えられるひとつの可能性を提示しているといえます。

　アニメ版には登場しなかったダリアの存在はジーニーの人間化というもうひとつの新たな物語の可能性を示すことに貢献していることにも注目しておきましょう。というのも、こうしたアニメ版では言及されていなかった部分を顕在化させたストーリーワールドの更新が物語の枠となる語りの状況を変化させています。実写版『アラジン』の冒頭部と結末部をみれば、物語の事実上の語り手の役割を担っているのは、船乗り、すなわち人間となったジーニーその人であることがわ

かります。この点に少しこだわって、アニメ版と実写版『ア
ラジン』のオープニングとエンディングを比較しておきま
しょう。すでに述べたように、アニメ版の冒頭にはアラブの
行商人とおぼしき人物が登場し、物語の導入役を演じます。
またエンディングにもふたたびこの行商人は登場し、エンド
クレジットへとつながるようになっています。この行商人に
ついて、いったい誰なのかという疑問がわくと思います。こ
の行商人と「アラジン」に登場するランプの魔人「ジーニー」
の声はともにロビン・ウィリアムズが担当しており、これは
両者に何らかのつながりがあるのではないかと思わせる手が
かりとなります。果たして行商人がジーニーの化身なのか劇
中で語られることはありませんが、アニメ版の製作スタッフ
の証言によると、どうやら同一人物として構想されたことが
わかっています。これに対して、実写版ではジーニーも船乗
りもともにウィル・スミスが演じており、アニメ版よりも２
人が同一人物である可能性がわかりやすく示されているとい
えます。もちろん、アニメ版の行商人や実写版の船乗りをジー
ニーと同一化してとらえるかどうかは、物語の受容者の想像
力にまかされているわけですが、いずれにせよ、行商人が私
たち視聴者に話しかけ、船乗りジーニーが彼の子どもたち２
人にアラジンにまつわる物語（要するに映画本編の物語内容）
を語って聞かせるあたりは、物語伝達の状況をフレーム・ス
トーリーとして組み込むやり方が、『千夜一夜物語』のシェヘ
ラザードと同様のものであり、更新のプロセスを経てもなお

一定の物語の枠組みが継承されていることの証左となっているのです。つまり、フレーム・ストーリーを用いることこそが『アラジン』をめぐる重要なメンタル・イメージのひとつだということです。ただし、こうした物語伝達の形式をストーリーワールドの編制に必須の要素として維持したうえで、あえてジーニーに語り手の役割を与えることで、後日譚に相当するジーニーのその後の消息が主要な物語の流れに組み込まれたことを、実写版『アラジン』のもっともユニークな物語更新のポイントとみなすことができると思います。ストーリーワールドがその枠組みとなる物語言説的状況を内包することで、『アラジン』は『千夜一夜物語』ではありえなかった新たな物語の可能性を指し示したといえそうです。ちなみに、実写版から派生したノヴェライズ版『アラジン』には、ジーニーのその後がより詳しく書かれています。

　それでは最後に、『アラジン』についての物語更新のプロセスを図解してみましょう。

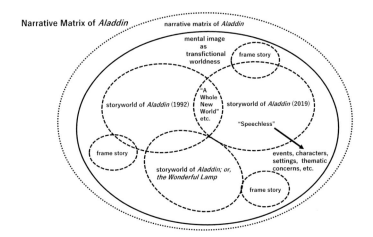

Narrative Matrix of *Aladdin*

『アラジン』のアニメ版から実写版への物語更新をめぐる重要なポイントのひとつは、両作品の原典である『千夜一夜物語』がもっていた物語状況の前提であるフレーム・ストーリーの設定を少しずつ変えながら継承していることです。もちろん原典であるからといって、物語更新の過程でそれが不変の規範として権威的に参照されているわけではありません。継承されるのは物語内容それ自体だけでなく、誰かが誰かに物語を伝達するという状況をストーリーワールドの一部として包摂していることを見逃してはいけません。そうした物語的状況をともなったストーリーワールドの記憶が共有されることで、「アラジンと魔法のランプ」から実写版『アラジン』へと至る過程で変わらないメンタル・イメージが形成されるのです。フレーム・ストーリーを内包したストーリーワールドの

記憶が物語の受容者／創造者に共有される「世界性」を生み出す必須の要素ともなっているというわけです。

　ただし、フレーム・ストーリーの設定は継承されつつ、それもまた物語更新の過程で変化していることを見逃してはいけません。実際枠となる部分で展開される物語的状況は、原典、アニメ版、実写版では異なっており、それぞれのストーリーワールドにオリジナルな物語言説の特徴を付け加えています。興味深いのは、「アラジンと魔法のランプ」ではフレーム・ストーリーと物語本編は別の世界の出来事であったのに対して、アニメ版、実写版と更新されていくうちに、フレーム・ストーリーの語り手と彼が語る物語との間に重なり合う関係が深まっていることです。上の図で、それぞれの表象される世界と枠となる部分との重なりが異なっていることを確認しておいてください。ストーリーワールドとフレーム・ストーリーの関係性が深まれば、それだけより明確にフレーム・ストーリーが物語本編に対してもつ後日譚的関係性が『アラジン』のストーリーワールドおよびそのメンタル・イメージに刻まれるのです。アニメ版および実写版『アラジン』におけるフレーム・ストーリーと物語本編のストーリーワールドの関係性は、要するに回想形式に一人称語りに相当するものですが、アニメ版の商人と、実写版の船乗りとでは、やはり後者のほうがより一人称の語り手として意識されやすいでしょう。ジーニーと商人の容姿はあまりに異なっていますし、声色も変わっていることで、同一人物であるとはなかなか想

像しにくいですが、実写版では同じ俳優が演じていることが明確で、視覚的にもジーニーと船乗りが同一人物である可能性がより認識しやすいからです。

　アニメ版と実写版は基本的に同じ物語のシークエンスをもっていますが、そのことは物語内容そのものが引き継がれているのと同様に、劇中歌についても、歌詞やアレンジ、そして歌い手が変更されてはいますが、ほとんどそのまま継承されることでより明確に意識されるものとなっています。なかでも「ホール・ニュー・ワールド」については、『アラジン』の物語の雰囲気と主題的関心を的確に伝える曲のひとつとして、ストーリーワールドの記憶を喚起する重要なポイントとなっています。「フレンド・ライク・ミー」や「ひと足お先に」などもこれと同様です。これら共通する楽曲が本来は同一ではないはずのアニメ版、実写版の２つのストーリーワールドを結びつける、つまり「世界性」が物語の境界を越えて融合しあうことを意識させ、２つの物語が並行するパラレルな世界ではなく、あたかも同じ物語的状況の２つの展開可能性のように認識されるのです。いっぽうで「スピーチレス」のように実写版で新たに追加された楽曲についていえば、アニメ版では掘り下げられていなかったジャスミンのキャラクターを刻印する新たなメンタル・イメージとして、『アラジン』のストーリーワールドの記憶に追加されることになります（図中で実写版のストーリーワールドからメンタル・イメージへ伸ばした矢印を参照してください）。ひいてはこれが『アラジ

ン』の物語のマトリクスそれ自体を活性化し、今後の物語更新の可能性を拡大させる役割を果たすことになるという点も忘れてはいけません。

3：『スター・トレック』における物語更新

　劇場版『スター・トレック』(*Star Trek,* 2009)は、カーク船長やミスター・スポックを中心人物とするTOS (The Original Series＝オリジナル・シリーズ)として知られる物語群のうちでもとくに最初の作品、すなわち『宇宙大作戦』(*Star Trek,* 1966-69)およびそこから派生した旧劇場版第1作『スター・トレック』(ロバート・ワイズ監督) (*Star Trek: The Motion Picture,* 1979)から第6作『スター・トレックⅥ 未知の世界』(ニコラス・メイヤー監督) (*Star Trek: The Undiscovered Country,* 1991)までの一連の物語の設定と背景を利用しつつ、ただしそれらとは必ずしも直接的には結びつかない形の完全リメイク版として製作された長編映像作品です。この新作『スター・トレック』シリーズは、現在までのところ第3作まで製作・公開されています。ちなみに、新劇場版2作目は『スター・トレック イントゥ・ダークネス』(*Star Trek Into Darkness,* 2013)、3作目は『スター・トレック BEYOND』(*Star Trek Beyond,* 2016)です。監督を務めているのは1，2作目がJ・J・エイブラムズ、3作目ではジャスティン・リンに交代していますが、エイブラムズも製作にクレジットされています。第4作についても製作に向けた計画が進んでいるということですが、何らかの紆余曲折があったようで、撮影ははじまっていませんでした。2021年の時点では、いったんストップしていた計画が再始動し、2023年に

新作が公開されると報道されています。果たしてどのような新作ができあがるのか今後に注目したいところですが、ここではいま紹介した新シリーズのうち、おもに第1作目に焦点を絞って、物語更新の観点から考察を進めていきたいと思います。

　さて現在の『スター・トレック』劇場版は TOS のリメイクだと述べましたが、特定のシリーズもしくは具体的なエピソードをそれまでとは異なる物語的設定や世界観にもとづいて、はじめから作り直すという意味では、リメイクというよりも、最近よく使われるもう少し特殊な言い方をすれば、「リブート」作品と呼んだほうが適切ではないかと思われます。リブートとは既存のシリーズの連続性を解消し、全面的に物語を作り直すこと、またそのようにして作り直された物語やシリーズのことを指します。たとえばエピソードやキャラクターの設定などにそれまでは不可避的に存在していた物語的な矛盾、あるいは決して不可欠とはいえなかった、いってみれば余分な物語的要素やコンセプトなどをいったんはリセット、つまりなかったことにして、仕切り直した形で新たな物語として創造することができるというわけです。

　2009年版『スター・トレック』(以下、エイブラムズ版とも表記)の場合、後段で詳しく分析しますが、かいつまんでいうと、先行する TOS 関連のテレビ版、劇場版の設定の一部から新たに生まれた「エピソード・ワン」的な物語が展開します。とはいえ、作品は「リブート」されているわけですから、

既存の物語の流れに無理をしてまで結びつける、あるいは何らかの関連性をにおわせる必要はとくにないのですが、実際のところエイブラムズ版では、リブートのプロセスに旧作の物語的要素、具体的にいうと、旧シリーズのストーリーワールドに属している特定の登場人物が物語内容のレベルで介入し、それにより物語の展開に屈折した緊張感が生じることがわかります。そういったいわば新たな矛盾が生じかねない物語的要素をあえて「混入」させることによって、並行世界に絶妙なストーリーワールドの（部分的）融合を想定させる物語的連関が生まれるのです。ちなみに、この映画から新たに導入された時間軸のことは「ケルヴィン・タイムライン」と呼ばれていますが、これは既存の TOS のストーリーワールド（＝「プライム・タイムライン」）とは異なる世界と設定されるいっぽうで、後述のように、旧世界との必然的につながりあったストーリーワールドでもあります。ちなみに、オンライン・ゲームサイト『スタートレック・オンライン』では、旧シリーズと本作との関係性について解説するコラムが掲載されています。詳しくはそちらも参照すると以下の考察の助けになると思います。それでは、ケルヴィン・タイムラインを生み出すことになった物語のあらましをたどってみましょう。

　宇宙暦2233年。ジョージ・カーク（演：クリス・ヘムズワース）はUSSケルヴィン号に乗り組んでいましたが、ネロ（演：エリック・バナ）というロミュラン人が指揮する謎の巨大宇

宙艦ナラーダ号に攻撃を受けます。殺害された艦長に代わり副長のジョージは指揮を引き継ぎ、みずからを犠牲にして、身重の妻を含む800名もの乗組員を救うのでした。そして脱出用シャトルの中で産まれたジョージの息子はジェイムズ・タイベリアス・カークと名づけられました。

時は流れ、成長し自堕落な生活を送る青年カーク（演：クリス・パイン）のもとに、クリストファー・パイク大佐（演：ブルース・グリーンウッド）が現れ宇宙艦隊アカデミーへの入学を勧めます。いっぽうヴァルカン星では、スポック（演：ザカリー・クイント）がヴァルカン科学アカデミーの入学審査を受けていましたが、母親が地球人であることが合格には不利な条件になるという考えに失望して、代わりに宇宙艦隊アカデミーに入学することを決めます。

3年後、宇宙艦隊アカデミーでは、スポックが製作した演習「コバヤシマル・シナリオ」でカークが不正を行ったために、懲罰のための聴聞会が開かれますが、その最中に、ヴァルカン星から緊急救助要請が届き、艦隊はヴァルカン星へ向かいます。謹慎処分を受けたカークでしたが、医療士官の友人レナード・マッコイ（演：カール・アーバン）が機転を利かせ、首尾よくパイク大佐が船長であるエンタープライズ号に乗り込みます。父親が亡くなったケルヴィン号と同じ状況だと直感したカークは、救助要請はエンタープライズ号を誘い出す罠であり、パイク船長に引き返すよう進言します。しかしすでに時は遅く、この世界にとどまっていたネロが率いるナ

ラーダ号に攻撃されたエンタープライズ号は、パイク船長を人質に取られてしまいます。

　カークたちの健闘むなしく、ネロは人工的に重力の特異点を発生させる「赤色物質」をヴァルカン星へと投下し、星は消滅します。スポックは父親サレク（演：ベン・クロス）と数人のヴァルカン星の高官を救出しますが、母親アマンダ（演：ウィノナ・ライダー）を救うことはできませんでした。エンタープライズ号では今後の方針をめぐりカークとスポックの意見が対立します。カークは上官であるスポックの命令にしたがわなかったとして極寒の惑星に追放されますが、そこで年老いたヴァルカン人と出会います。彼こそ未来から来たもうひとりのスポック（演：レナード・ニモイ）でした。老スポックは未来のロミュラン星が消滅したのは自分の責任だと語ります。自分の星を失ったネロが復讐のためにヴァルカン星が破壊されるさまをスポックに見せつけるために、彼をこの惑星に留めたのでした。ネロは次なる復讐のターゲットとして地球の消滅を画策しているとスポックはカークに告げます。ネロの暴走を止めるには、ナラーダ号を「赤色物質」を使って消滅させる以外はないと。

　カークは、同じくこの惑星に左遷されていた技術者のモンゴメリー・スコット（演：サイモン・ペッグ）をともないエンタープライズ号に帰還します。そしてわざと命令に逆らうことでスポックを怒らせます。冷静さを欠いたそうした言動が船長として不適格であると論理的に帰結される状況へス

ポックを導くためでした。こうして論理的判断にもとづきスポックは船長の座を降り、彼と交代する形で指揮をとることになったカークは、スポックとともにナラーダ号に乗り込みます。危機一髪の状況下で、2人は見事にパイク大佐を救出しナラーダ号の破壊に成功します。

　地球を危機から救ったカークはその功績を認められ、正式にエンタープライズ号の船長に就任します。再び姿を現した老スポックは、若きスポックに対して、すべての出来事の次第を打ち明けます。宇宙艦隊の任務を遂行するよう背中を押すもうひとりの自分の励ましの言葉を胸に、スポックは副長としてカークとともに働く道を選ぶのでした。

　長くなりましたが、以上がエイブラムズ版『スター・トレック』の物語内容の全容です。物語は屈折した形の「エピソード・ワン」に相当することについてはすでに述べましたが、かつてのTOSテレビシリーズの純粋なリメイクではないエイブラムズ版のストーリーワールドにおいて生起する諸事象が、果たして時系列的にそれらに先行するのかどうかが明らかにされない以上、同一のフォーマットを用いた別の、つまりいっさいのつながりをもたない物語だといわざるをえないと思われるいっぽうで、完全に無関係であるとも言い切れないでしょう。このことは各キャラクターの設定からもわかります。なるほど、カークやスポックだけでなく、医療主任で船医のドクター・マッコイ、機関主任スコッティ、主任正操舵士ヒカル・スールー（演：ジョン・チョー）、もうひとりの

操舵士パヴェル・チェコフ（演：アントン・イェルチン）、そして通信士ニヨータ・ウフーラ（演：ゾーイ・サルダナ）など、エンタープライズ号の主要なクルーたちは、それぞれ若く初々しい姿を見せます。そう考えるなら、これがTOSテレビシリーズおよび旧劇場版での彼らの以前のエピソードであると解釈することも可能であるように思われますが、たとえばスポックとウフーラが恋人どうしであることは旧シリーズには見られなかった設定です（関心がありそうな描写がなかったわけではありませんが）。こういった物語的矛盾を旧シリーズとどのように整合性をつければいいのでしょうか。少なくとも、エイブラムズ版をみてから旧TOSテレビシリーズや劇場版をみるとすれば、物語の時系列や因果関係について違和感をもつでしょう。しかし、そのいっぽうで旧シリーズにおいてカークやスポックらのクルーたちがエンタープライズ号に乗り組み、5年間にわたる調査航海に出発するのは宇宙暦2265年のことであり、エイブラムズ版の物語内容が時系列的にそれ以前の時間軸に設定されているのであれば、人物設定や出来事の生起などの細かな物語的要素の異同を問題にしないという条件で、旧TOSの前日譚である可能性もまったくなくはないといえます。少なくとも旧TOSの物語設定に対する予備知識のない受容者にはそう感じられるでしょう。いずれにせよ、程度の差こそあれ、エイブラムズ版を前日譚的な過去の出来事としてメンタル・イメージ化するということは十分に可能なのです。

しかし、エイブラムズ版『スター・トレック』は、以前の
エンタープライズ号クルーたちをめぐる既存の設定には必ず
しもこだわらない代わりに、自由で柔軟な発想でこれまでに
はなかったまったく新たな設定も盛り込むことによって、既
存の物語設定を利用しつつも、旧TOSテレビシリーズや旧劇
場版に関連するあらゆるエピソードがこれまで作り上げられ
てきたいわゆる「正史」（プライム・タイムライン）に対して
矛盾する事象であってもあえてそれらを提示しているともい
えるのです。とはいえエイブラムズ版が旧作の「正史」をまっ
たく無効化しているかというと、決してそういうわけでもあ
りません。その所以は、以下にも述べるように、あえて「正
史」とされてきた一部を取り込むことで、屈折した「オマー
ジュ化」を達成し、それにより生じる因果的また論理的矛盾
には目をつぶることのできる物語的環境を作り出した点に求
めることができます。
　たいへんまわりくどい言い方をしましたが、要するにテレ
ビシリーズから劇場版6作までの旧TOSにまつわる物語の
すべてが包括的に形成するストーリーワールドとエイブラム
ズ版それ自体のストーリーワールドとはきわめて特殊な関係
を担保しつつ共存しているのです。いったいそれはどのよう
な物語的関係性なのでしょうか。少しだけ結論を先取りする
なら、エイブラムズ版『スター・トレック』における物語更
新は、旧TOS、さらにはそれ以降の時系列的に一貫した時代
を描いたTOSと関連する『スター・トレック』全シリーズに

おけるあらゆるエピソードに対して直接的な関係性をもたない完全にパラレルなストーリーワールドとなっているいっぽうで、同時に旧作のストーリーワールドと何らかの因果関係的なつながりもまた保持した形で実行されているということです。なぜそのような因果関係的つながりが想定可能なのでしょうか。それは、そもそも旧TOSテレビシリーズ、すなわち『宇宙大作戦』には「エピソード・ワン」的なエピソードがなかったこととも関係します。『宇宙大作戦』の第1話（日本放送時、アメリカ本国では第3話として放送）「光るめだま」（"Where No Man Has Gone Before"）は、カーク船長初登場のエピソードなのですが、他のクルーたちにかんする詳細も含め、とくに人物設定や背景に関係する描写はありません。ちなみに、『宇宙大作戦』にはパイロット版（先行試作品）として製作された「歪んだ楽園」（"The Cage"）がありますが、ここにはカークの前任者であるクリストファー・パイク船長（演：ジェフリー・ハンター）とスポック（演：レナード・ニモイ）が登場します。ちなみにパイクについては、エイブラムズ版でもエンタープライズ号の初代艦長として登場し、上で紹介したあらすじにもあるように、カークに宇宙艦隊への入隊を助言したりするなど、ときに主人公を見守りときに叱咤激励する明確な役どころが与えられていましたね。カークとの間により深い関係性が築かれているわけです。しかし、旧TOSではそのような設定を暗示するような描写はありません。なお、パイロット版の物語内容は『宇宙大作戦』の第

1シーズンに「タロス星の幻怪人」(前・後編) ("The Menagerie, Part I, II) として後日譚的エピソードに組み込まれて新たな物語が付け加わってはいますが、基本的に旧TOSのなかでは独立したエピソードであり、因果関係的な物語更新に関与したとはいえません。

　旧シリーズと新劇場版との間に生じるこうした矛盾をはらみつつもつながりあう時空間を想定させる物語更新のあり方は、前の章で分析した『ロミオ＋ジュリエット』や『アラジン』の場合とは異なったストーリーワールドの結びつきのあり方の相違を考察することで説明が可能です。『ロミオ＋ジュリエット』はシェイクスピアの戯曲やその他の派生作品、実写版『アラジン』は先行するアニメ版に対して、また前者は物語の舞台そのものを現代化することで、後者は完全なパラレルワールドとして、それぞれの物語をリメイクしつつ物語内容にかんして想定できる別の可能性を提示しているといえます。『ロミオ＋ジュリエット』や実写版『アラジン』のストーリーワールドは完全なパラレルワールドであり、どれだけ重なりが幻視されようと、あくまで時空間的には別の世界なのです。エイブラムズ版『スター・トレック』の場合もたしかに旧TOSに対するパラレルワールドにはちがいありません。しかしネロやスポックによる干渉を受けて、異なる時間軸が生じるという設定があらかじめ組み込まれていることを見逃してはいけません。つまりエイブラムズ版の時間軸（＝ケルヴィン・タイムライン）は、旧TOSとは異なる前日譚を生み

出したわけです。時系列的には前日譚に相当するエピソード
を物語化しつつ、そのエピソード自体が別の時間軸の出来事
として書き換えられた時点で、エイブラムズ版は少なくとも
前日譚をもたない旧TOSに属するいずれかのエピソードの
物語内容を反復せずに、もうひとつの物語的可能性を提示し
ているのです。『ロミオ＋ジュリエット』や実写版『アラジ
ン』がどこまでも独立した「世界」としてその存在が想定さ
れるのに対して、エイブラムズ版『スター・トレック』のス
トーリーワールドは未来の宇宙から過去への干渉が生み出し
た並行世界であるがゆえに、本来は重なりももたないはずの
旧シリーズのそれとも微妙につながりあう関係性をもたざる
をえないのです。パラレルであると同時に、同じ時空間を共
有する世界の出来事でありえるという前提が物語的にも担保
されていることがポイントです。これでエイブラムズ版のス
トーリーワールドのありようが、『ロミオ＋ジュリエット』が
シェイクスピアの戯曲の世界と、実写版『アラジン』がアニ
メ版の世界と、それぞれつながっていることが前提ではない
こととは対照的に、必然的に融合した世界であることが理解
できたのではないかと思います。こうしたストーリーワール
ドの部分的融合が想定されることで、エイブラムズ版『ス
ター・トレック』はまったくのパラレルワールドとして生起
しているいっぽう、旧シリーズからの因果的関与を積極的に
受け入れることで、これまで描かれた世界とは異なる物語が
複雑に絡み合いながら展開する可能性を提示しつつ、同時に

これまでの世界とも接続可能な、言い換えれば、旧作のエピソードが新作の物語の未来のひとつとなる可能性を物語の受容者に意識させることになるのです。物語の(再)創造者(私たちを含め『スター・トレック』の物語更新に関与することになるすべての当事者)が、既存のエピソードに依拠することも、また依拠しないこともできるというきわめて柔軟な対応の余地があるということです。

　エイブラムズ版『スター・トレック』と旧TOSの場合のように、物語内容的につながりのなかった異なるストーリーワールドどうしに何らかのつながりを想定できるのは、もちろんタイムワープやタイムパラドクスといった異なる宇宙の融合を可能にする設定が導入されているからです。この点からも見逃すことのできないのは、旧世界(宇宙暦2387年の未来)からやってきたネロやその時代の老スポック(＝スポック大使、つまり旧TOSのストーリーワールドに存在したミスター・スポックのその後)による歴史の改変とその影響です。もちろん配役的な部分まで考え合わせるなら、旧シリーズでスポックを演じたレナード・ニモイを同じ役で登場させることによって、なおさらエイブラムズ版のストーリーワールドが旧TOSのストーリーワールドとつながっている、というか明確に因果関係的に連動していることが意識されることはまちがいありません。簡単にいうと、過去と未来が一体のものとして物語の受容者の記憶に刻まれるということです。ネロやスポックがタイムワープを経て、新しい宇宙(『スター・ト

レック』正史では過去に相当する世界)に姿を現したことで、その宇宙に歴史の流れ自体に影響が生じ、異なる時間軸をもった宇宙が出現し、その時点で旧TOSのストーリーワールドはひとつの可能世界にすぎなくなったわけです。そういう作劇以上のこだわりがエイブラムズ版の物語更新に観察可能なのです。

　異なる時間軸からの干渉によって生じたもうひとつの未来（＝パラレルワールドとしての2009年版『スター・トレック』のストーリーワールド）はこの時代のカークやスポックが生きる世界であり、一連の物語の展開をタイムパラドクスに帰すこと自体に真新しさあるわけではありませんが、エイブラムズ監督の演出が物語更新の観点から興味深いポイントは、すでに存在すると認識される未来、すなわち旧TOSのストーリーワールドを確定したものではなく、未確定のひとつの可能性へと変換することで、新たな出来事の連続として物語内容を上書きすることに成功しているだけでなく、タイムワープによって生じた物語上のずれを前景化しつつも、旧TOSに帰属するのいわゆる正史と新たに生まれた異なる時間軸との間に微妙な接点を用意することで、いわば時空を超えたストーリーワールドの壮大な融合と新たな物語の出発を受容者に意識させるように物語を編制した点に求めることができるでしょう。エイブラムズ版『スター・トレック』は、文字どおり新たなTOSの歴史の起源になるという意味で、「オリジナル」な物語更新が作用することで創造されたのです。TOS

のタイムラインに属する旧劇場版第1〜6作はTOSテレビシリーズの後日譚の位置づけであり、エンタープライズ号の主要クルーたちはそれぞれ歳を重ねた（テレビシリーズ終了から10年後に製作されているわけですからいたしかたないのですが）姿で登場しました。これに対して、エイブラムズ版『スター・トレック』のストーリーワールドは同じクルーたちを新たなキャストが演じているわけで、その意味では、たとえ物語内容が時系列的に旧TOSに先行するとしても、キャストの一新を根拠として、あえて旧シリーズには結びつけない物語として更新される選択肢はあったわけです。しかし、ケルヴィン・タイムラインという新たな時間軸が設定されたエイブラムズ版『スター・トレック』は既存の旧TOSの正史に対するパラレルワールド的時系列の秩序にもとづいて成立するいっぽう、旧シリーズのキャラクター直接的に関与するという形で、正史の時系列からの干渉が起こり、その結果先行作品において提示されてきた歴史の流れはそのままに存在することを物語経験的には担保しつつも、それとは異なるもうひとつの物語的可能性も示唆しているのです。このあいまいさが重要なのです。だからこそ、エイブラムズ版『スター・トレック』のストーリーワールドは旧TOSのエンタープライズ号クルーたちの若き日の世界とも受け取ることも可能ですし、同時にそれらとはまったく関連性のない、新たな物語の創造であるとも考えられるわけです。それはちょうど旧作を鑑賞したことがある受容者がエイブラムズ版を経験する場合

と、予備知識なしに初見でエイブラムズ版を鑑賞する受容者の物語に対する反応が異なることに当てはめて考えることができるでしょう。

エイブラムズ版『スター・トレック』は、既存のキャラクターや設定をリサイクルして新たなストーリーワールドを形成していますが、それは物語を単に「リメイク」、つまり同じ出来事の連続を語り直すことを意味しているわけではないことを、ここまでの考察で確認しました。重要なポイントは、同一の物語的素材を用いながら異なるストーリーワールドを創造しているということです。エイブラムズ版のストーリーワールドと旧TOSのストーリーワールドとの間に成立する物語的関係性が『ロミオ＋ジュリエット』や『アラジン』の場合と本質的に異なる要素をもっているとすれば、それは、すでに述べたように、2つのストーリーワールドがそもそも部分的に融合している、すなわち、旧シリーズのストーリーワールドからエイブラムズ版のストーリーワールドへの不可逆的な干渉がおよんでいることでした。『アラジン』や『ロミオ＋ジュリエット』ではそのようなことは起こりえません。なぜなら完全に異なる世界として物語の受容者に了解されるからです。これに対して『スター・トレック』の場合、未来（前に述べたプライム・タイムライ＝旧TOSの正史）から過去（エイブラムズ版＝ケルヴィン・タイムラインの時空間）へとタイムワープしてしまったネロや老スポックが物語に絡んでくることで、物語内容そのものが旧TOSとの間に生じる解き

ほぐしがたい因果関係を受容者に意識させ、それにより複雑化した物語的状況を、あえてその錯綜した関係性の解明についてはたくみに回避しながら描き込むことで、独特な物語の「リブート」が行われているのです。旧シリーズのストーリーワールドから出現したという設定のキャラクターが過去の世界に攻撃を加え、それによって別の歴史を刻むはずであったストーリーワールドの時空間が干渉されたことで変化した世界こそがリブートされたエイブラムズ版『スター・トレック』にほかならない点に、あらかじめ計算された尽くしたともいえる物語更新のもっとも顕著な痕跡を見出すことができます。

　旧TOSテレビシリーズや劇場版がこれまで共有してきた「正史」とそこから想定されるストーリーワールドの全体像とエイブラムズ版が作り出した新たなストーリーワールドについてのメンタル・イメージは、前者が後者に関与するという設定が前提となることで、たがいに曖昧さをはらみながら融合しあう世界が想定可能となり、劇中の物語内容はあくまでそのような可能性をつねにはらんだ「世界」として提示され、また受容者にもそのように認識されるのです。ただ話はそれだけにとどまりません。というのも、単に「正史」に属していた老スポックがエイブラムズ版のストーリーワールドに登場することで新たな物語の歴史が刻まれることが認証される点が独特であるということだけでなく、その老スポック役をオリジナル・キャストのレナード・ニモイが演じる形で物語にかかわることで、とりわけ旧TOSをすでに物語として経験

している受容者にとっては、これら２つのストーリーワールドが、もはやタイムパラドクスによってたがいに関連しあうだけではなく、因果関係的に融合しあう２つの世界をひとつの包括的な時空間であるかのように認識しないわけにはいかなくなることがより重要です。旧作と新作とを包摂する物語のマトリクスは、以下に図解するような形で想定可能です。いずれにせよ、このようにストーリーワールドの融合を軸に考えてくると、劇中で老スポックが若きカークやスポックに語りかける場面が用意されていることに特別な意味があることがわかります。自分を信じ、たがいに友人そして信頼しあう同僚となるよう老スポックは諭します。彼の役割は単に若い主人公たちを教え導く賢者としてのそれにとどまらず、物語の受容者が想像力を駆使して過去と未来という２つの世界を融合的に概念化するための触媒のようなものだと考えられます。旧TOSにおいてとくに説明もないまますでにできあがっていたカークとスポックの、上司と部下の関係を越えた強固な友情関係は、エイブラムズ版ではいったんリセットされたうえで(再)形成され、やがては旧TOSと同様の物語展開もあるいはまったく別の展開も可能な「世界」を物語の受容者が記憶するメンタル・イメージに定着させます。エイブラムズ版『スター・トレック』は、TOSを基盤とするあらゆる派生作品に継承される物語のフォーマットを構築し、継続的な物語更新を促していくのです。

　エイブラムズ版にはじまる『スター・トレック』はこれか

ら新たなる「正史」を形成していくことになるでしょう。そうした物語更新のあり方がどのように既存のTOSのストーリーワールド上書きし、またそのようにして上書きされたストーリーワールドを私たち物語の受容者が認識できるのかを中心に考察を進めてきました。そのような特殊な物語更新のありようは、単なるリメイクにとどまらない「リブート」にほかならなかったわけですが、そうした物語更新の鍵を握るのが過去と未来とをつなぐ老スポックの存在でした。ときに彼はふたたび旧TOSの世界に帰還したのでしょうか。そのことについては劇中で明確にされていません。そのまま本作の時空間にとどまったのかもしれません。そうなると、エイブラムズ版のストーリーワールドには2人のスポックが存在することになりますね。まあ老スポックが新たなる「正史」にこれ以上干渉することはないのでしょうが、その後の彼の行方を想像する必要はあえてないのかもしれません。前述のように、彼はこの世界のカークと出会ったときに、「私は今までもこれからも君の友人だ」とやさしく教え諭し、また結末でふたたび登場したときには、若きスポック、すなわちもうひとりの自分自身に対して、「友情で2人の絆ができる」と言い、カークとともに任務にまい進するように助言しますが、どこかでこの新しい世界を見守っているという了解は成立しているように思われます。かつてのシリーズでは、親しい友人で信頼しあう船長と副長であったカークとスポックの関係性はとくに説明もなく確立されていましたが、こうした関係性が

再現されるあるいはより強固な友情関係へと発展していく可能性をにおわせる、もしくはその方向に促すことで老スポックは十分にその役割を果たしたといえるのですから。

　いずれにせよ、老スポックをレナード・ニモイが演じたことが、旧TOSとエイブラムズ版『スター・トレック』の間に屈折したストーリーワールドの融合を印象づけたことはまちがいありません。エイブラムズ版の物語内容が旧TOSの5年間の調査任務の前日譚であったとしても、あるいはそうでなかったとしても、どちらも物語的可能性としてはありえることです。同様に、この作品以降に形成される新たな歴史の流れが既存の「正史」に置き換わると考えることも、またあくまで別の時空間の物語とみなすこともどちらも可能です。旧シリーズと新シリーズ2つのストーリーワールドがどの程度融合していると想定するのかは物語の受容者の自由なのです。どちらが正解ということもありません。物語経験とは多様なものであり、その異なりが物語更新という継続的な文化現象を引き起こすわけです。いずれにせよ、エイブラムズ版のエンディングでは、あの懐かしいオープニング・ナレーションが復活しています。旧TOSではカーク役のウィリアム・シャトナーが語っていたこの一節を、ここでは老スポック（つまりレナード・ニモイの声で）が語っています。前述の彼の役回りを考えればきわめて妥当な演出です。

Space, the final frontier.	宇宙
These are the voyages	そこは最後のフロンティアである
Of the Starship *Enterprise*.	これはUSSエンタープライズが
Her ongoing mission,	任務を続行し
To explore strange new worlds,	新世界を探索して
To seek out new life-forms	新しい生命と文明を求め
And new civilizations,	人類未踏の地に
To boldly go	果敢に航海した
Where no one has gone before	旅路の物語である

旧TOSのナレーションの文言を少しだけ修正した老スポックの言葉は、まるでこれから先の物語が旧シリーズのそれと同じであり、かつ異なるものとなる可能性を暗示する預言のように響き渡ります。「続行中の任務」(ongoing mission)とはこの世界のカークたちエンタープライズ号の旅でもあり、あるいはかつてのカークたちが行った５年間の調査航海であってもかまいません。更新されたエイブラムズ版『スター・トレック』のストーリーワールドと旧TOSのストーリーワールドは物語の受容者／創造者の意識のなかでどんな形にもつながりあう可能性があるのですから。無限の想像／創造力は果てしない物語更新の契機にほかなりません。「人類未踏の地に果敢に航海した旅路の物語」は、単なるノスタルジックな記憶を喚起するだけでなく、過去シリーズとの絆、新シリーズの可能性の両方を暗示しているのかもしれません。今、新たな宇宙の航海へ挑むエンタープライズ号の前途には無限の物語的可能性が開かれていくことでしょう。そして夢と希望に

満ちあふれた物語の終わりにあの懐かしい曲が聞こえてきます。『スター・トレック』のエンドクレジットで、再アレンジされているとはいえ、夢と希望に満ちあふれた旧TOSテレビシリーズのテーマ曲が流れるとき、私たち物語の受容者は新しい物語と旧シリーズとのつながりと、そこからの自立の両方を肯定しているのです。驚異に満ちた物語の未来は、こうして過去との決別と新たな航海の船出を祝福して閉じられます。

　では最後に、『スター・トレック』オリジナル・シリーズにかんする物語更新のプロセスを図解でたどってみましょう

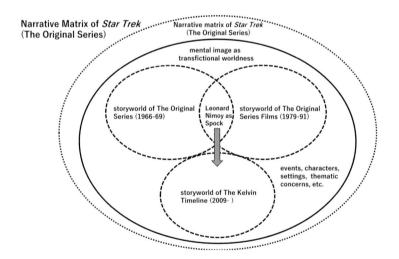

すでにみたように、レナード・ニモイが演じるオリジナルのスポックがケルヴィン・タイムラインのストーリーワールド

に登場することから、本来まったく異なる並行世界の出来事から成立する時空間的連続体が、もしかすると旧世界ともつながりあう可能性、すなわちエイブラムズス版『スター・トレック』のストーリーワールドが、旧オリジナル・シリーズの前日譚のひとつである可能性を受容者の物語経験の記憶に刻みつけるのです。この図では、旧TOS（テレビシリーズおよび劇場版）とエイブラムズ版のストーリーワールドがたがいに接し合う形で示されているのは、こうした物語的融合が起こりえることを説明するためです。

　同一のキャラクターを同じ俳優が演じることでストーリーワールドの同一性が担保される場合は前日譚や後日譚など、同一のタイムライン上の物語を映像メディアで創造する場合にはよくあることです。『スター・トレック』も、旧TOS劇場版については、主要キャラクターを同一の俳優が演じました。ただこの場合は、あくまで旧劇場版の物語はテレビ版の続編であり、細かい物語的矛盾があったとしても、それらを物語の受容者が問題にすることなく、すべてを同じ世界の時系列に属した出来事の連続として、したがってそれぞれのストーリーワールドはすべてたがいにつながりあったものとして認識可能です。それはひとえに老スポックの存在が裏書きする関係性なのです。図では、スポックはテレビシリーズと旧劇場版のストーリーワールドの重なり合う部分に位置しますが、矢印で示しているように、ここからタイムワープすることで彼はエイブラムズ版にかかわってきます。これにより、本来

別個の世界であったはずのストーリーワールドどうしが部分的に融合した物語の記憶を受容者に刻み付けるのです。

　エイブラムズ版『スター・トレック』のストーリーワールドは、旧TOSのストーリーワールドと完全に重なり合いはしないまでも、ある種のあいまいでゆるやかな接点をもった2つのタイムラインの融合をどこまでも物語の受容者に認識させながら、これからも多様な物語的可能性を幻視させることでしょう。ケルヴィン・タイムラインに属する『スター・トレック』のストーリーワールドはこれまでの3作を確認する限り、旧テレビシリーズや劇場版のリメイクと想定可能な物語的関係性を保ちながら、まったく新たな物語更新を実践しており、おそらくこの方向性はまだ具体的には製作されていない第4作についても維持されることでしょう。ひとつの物語には複数の、いやいってしまえば無限の可能性があります。だからこそ、物語の受容者も創造者もこうした無限の可能性を追い求めつづけるのです。TOSおよびそこから派生したすべての『スター・トレック』に関連するストーリーワールドがどのように展開し、また相互にかかわりあっていくのか見逃せませんね。

参照文献リスト

（以下は、本文中で言及した研究書を中心に推奨文献リストと
してまとめたものです。）

物語論関係概説書：

Abbott, H. Porter (2008). *The Cambridge Introduction to Narrative*. 2nd. ed. Cambridge: Cambridge UP.

Herman, David (2009). *Basic Elements of Narrative*. Chichester: Wiley-Blackwell.

---, ed. (2007). *The Cambridge Companion to Narrative*. Cambridge: Cambridge UP.

Herman, David, James Phelan, Peter J. Rabinowitz, Brian Richardson, and Robyn Warhol (2012). *Narrative Theory: Core Concepts & Critical Debates*. Columbus: Ohio State UP.

Herman, Luc and Bart Vervaeck (2001). *Handbook of Narrative Analysis*. Lincoln: U of Nebraska P.

Phelan, James and Peter J. Rabinowitz, eds. (2008). *A Companion to Narrative Theory*. Malden: Blackwell.

Prince, Gerald (2003). *A Dictionary of Narratology*. Rev. ed. Lincoln: U of Nebraska P. （『改訂版 物語論辞典』 遠藤健一 訳 松柏社）

橋本陽介 (2014).『ナラトロジー入門―プロップからジュネット
　までの物語論』水声社.

… (2017).『物語論 基礎と応用』講談社選書メチエ.

構造主義物語論：

Bal, Mieke (2017). *Narratology: Introduction to the Theory of
　Narrative*. 4th. ed. Toronto: U of Toronto P.

Barthes, Roland (1977). "Introduction to the Structural
　Analysis of Narrative." *Image, Music, Text*. Trans. Stephen
　Heath. New York: Hill and Wang.（『物語の構造分析』花輪
　光訳 みすず書房）

… (1974). *S/Z*. Trans. Richard Miller. New York: Hill and
　Wang.（『Ｓ／Ｚ』沢崎浩平訳 みすず書房）

Chatman, Seymour (1978). *Story and Discourse: Narrative
　Structure in Fiction and Film*. Ithaca: Cornell UP.

… (1990). *Coming to Terms: The Rhetoric of Narrative in
　Fiction and Film*. Ithaca: Cornell UP.（『小説と映画の修辞
　学』田中秀人訳 水声社）

Culler, Jonathan (1981). "Story and Discourse in the Analysis
　of Narrative." *The Pursuit of Signs: Semiotics, Literature,
　Deconstruction*. Ithaca: Cornell UP.

Genette, Gérard (1980). *Narrative Discourse: An Essay in*

Method. Trans. Jane E. Lewin. Ithaca: Cornell UP. （『物語のディスクール―方法論の試み』花輪光・和泉涼訳　水声社）

--- (1988). *Narrative Discourse Revisited.* Trans. Jane E. Lewin. Ithaca: Cornell UP. （『物語の詩学―続・物語のディスクール』和泉涼一・青柳悦子訳　水声社）

--- (1997). *Palimpsests: Literature in the Second Degree.* Trans. Channa Newman and Claude Doubinsky. Lincoln: U of Nebraska P. （『パランプセスト―第二次の文学』和泉涼一訳　水声社）

Rimmon-Kenan, Shlomith (2002). *Narrative Fiction: Contemporary Poetics*. 2nd. ed. London: Routledge.

トランスメディア物語論・可能世界論・認知物語論関連：

Bell, Alice and Marie-Laure Ryan, eds. (2019). *Possible Worlds Theory and Contemporary Narratology.* Lincoln: U of Nebraska P.

Bernaerts, Lars, Dirk De Geest, Luc Herman, and Bart Vervaeck, eds. (2013). *Stories and Minds: Cognitive Approaches to Literary Narrative*. Lincoln: U of Nebraska P.

Caracciolo, Marco (2014). *The Experientiality of Narrative: An Enactivist Approach.* Berlin: De Gruyter.

Doležel, Lubomír (1998). *Heterocosmica: Fiction and Possible Worlds.* Baltimore: Johns Hopkins UP.

Fludernik, Monika (1996). *Towards a 'Natural' Narratology*. London: Routledge.

Hatavara, Mari, Matti Hyvärinen, Maria Mäkelä, and Frans Mäyrä, eds. (2016). *Narrative Theory, Literature, and New Media: Narrative Minds and Virtual Worlds*. New York: Routledge.

Herman, David (2002). *Story Logic: Problems and Possibilities of Narrative*. Lincoln: U of Nebraska P.

--- (2013). *Storytelling and the Sciences of Mind*. Cambridge: MIT.

Jenkins, Henry (2006). *Convergence Culture: Where Old and New Media Collide*. New York: New York UP.

Pavel, Thomas G. (1986). *Fictional Worlds.* Cambridge: Harvard UP.

Ryan, Marie-Laure (1991). *Possible Worlds, Artificial Intelligence, and Narrative Theory.* Bloomington: Indiana UP. (『可能世界・人工知能・物語理論』岩松正洋訳 水声社)

--- (2006). *Avatars of Story*. Minneapolis: U of Minnesota P.

Ryan, Marie-Laure and Jan-Noël Thon, eds. (2014). *Storyworlds across Media: Toward a Media-Conscious Narratology*. Lincoln: U of Nebraska P.

Thon, Jan-Noël (2016). *Transmedial Narratology and Contemporary*

Media Culture. Lincoln: U of Nebraska P.

小方孝・金井明人 (2010).『物語論の情報学序説―物語生成の思想と技術を巡って―』学文社.

西田谷洋 (2006).『認知物語論とは何か?』ひつじ書房.

---, 日高佳紀・日比嘉高・浜田秀 (2010).『認知物語論のキーワード』和泉書院.

---, 浜田秀 (編) (2012).『認知物語論の臨界領域』ひつじ書房.

その他物語論関連:

Auerbach, Erich (1953). *Mimesis: The Representation of Reality in Western Literature.* Trans. Willard R. Trask. Princeton: Princeton UP.(『ミメーシス―ヨーロッパ文学における現実描写―』篠田一士・河村二郎訳 ちくま学芸文庫)

Bakhtin, M. M. (1925). "Forms of Time and of the Chronotope in the Novel: Notes toward a Historical Poetics." *The Dialogic Imagination: Four Essays.* Trans. Caryl Emerson and Michael Holquist. Austin: U of Texas P.(『小説における時間と時空間の諸形式――一九三〇年代以降の小説ジャンル論』伊東一郎・北岡誠司・佐々木寛・杉里直人・塚本善也訳 水声社)

Booth, Wayne C. (1961, 83). *The Rhetoric of Fiction.* 2nd. ed.

Chicago: U of Chicago P.（『フィクションの修辞学』米本弘一・服部典之・渡辺克昭訳 水声社 ＊1961年初版の翻訳）

Forster, E. M. (1927). *Aspects of the Novel*. Orlando: Harvest.（『小説の諸相』中野康司訳 みすず書房）

Gerrig, Richard J. (1993). *Experiencing Narrative World: On the Psychological Activities of Reading*. New Haven: Westview Press.

Goodman, Nelson (1978). *Ways of Worldmaking*. Indianapolis: Hackett.

Kristeva, Julia (1980). *Desire in Language: A Semiotic Approach to Literature and Art*. Ed. Leon S. Roudiez. Trans. Thomas Gora, Alice Jardine, and Leon S. Roudiez. New York: Columbia UP.（『記号の解体学―セメイオチケ』2巻 原田邦夫他訳 せりか書房）

Lewis, David (1986). *On the Plurality of Worlds*. Oxford: Blackwell.（『世界の複数性について』出口康夫監訳 名古屋大学出版会）

Phelan, James (2007). *Experiencing Fiction: Judgments, Progressions, and the Rhetorical Theory of Narrative*. Columbus: Ohio State UP.

Propp, V. (1928). *Morphology of the Folktale*. Trans. Laurence Scott. Austin: U of Texas P.

Scholes, Robert and Robert Kellogg (1966). *The Nature of*

Narrative. London: Oxford UP.

Walton, Kendall L. (1990). *Mimesis as Make-Believe: On the Foundations of the Representational Arts*. Cambridge: Harvard UP. (『フィクションとは何か―ごっこ遊びと芸術』田村均訳 名古屋大学出版会)

橋本陽介 (2014).『物語における時間と話法の比較詩学―日本語と中国語からのナラトロジー』水声社.

受容理論・読者反応批評関連:

Fish, Stanley (1980). *Is There a Text in This Class?: The Authority of Interpretive Communities*. Cambridge: Harvard UP. (『このクラスにテクストはありますか』小林昌夫訳 みすず書房)

Iser, Wolfgang (1974). *The Implied Reader: Patterns of Communication in Prose Fiction from Bunyan to Beckett*. Baltimore: Johns Hopkins UP.

--- (1978). *The Act of Reading: A Theory of Aesthetic Response*. Baltimore: Johns Hopkins UP. (『行為としての読書―美的作用の理論』轡田收訳 岩波書店)

Tompkins, Jane P., ed. (1980). *Reader-Response Criticism: From Formalism to Post-Structuralism*. Baltimore: Johns Hopkins UP.

アダプテーション研究関連：

Bruhn, Jørgen, Anne Gjelsvik, and Eirik Frisvold Hanssen, eds. (2013). *Adaptation Studies: New Challenges, New Directions*. London: Bloomsbury.

Carroll, Rachel, ed. (2009). *Adaptation in Contemporary Culture: Textual Infidelities*. London: Continuum.

Elliott, Kamilla (2003). *Rethinking the Novel/Film Debate.* Cambridge: Cambridge UP.

Hutcheon, Linda (2006, 12). *A Theory of Adaptation*. New York: Routledge. 『アダプテーションの理論』 片渕悦久・鴨川啓信・武田雅史訳. 晃洋書房 ＊ 2006年初版の翻訳）

Leitch, Thomas (2007). *Film Adaptation & Its Discontents: From* Gone with the Wind *to* The Passion of the Christ. Baltimore: Johns Hopkins UP.

岩田和男・武田美保子・武田悠一編 (2017).『アダプテーションとは何か―文学／映画批評の理論と実践』世織書房.

片渕　悦久 (KATAFUCHI, Nobuhisa)

　大阪大学大学院文学研究科教授。1965年、佐賀県唐津市生まれ。佐賀県立唐津東高等学校、佐賀大学教育学部卒業。大阪大学大学院文学研究科博士課程単位取得退学。博士（文学）（大阪大学2007年）。専門は、英米文学、アダプテーション研究、物語更新理論。

　主要業績：『ソール・ベローの物語意識』（晃洋書房、2007年）、ラーラ・ヴァプニャール『うちにユダヤ人がいます』（翻訳、朝日出版社、2008年）、リンダ・ハッチオン『アダプテーションの理論』（共訳、晃洋書房、2012年）、『物語更新論入門（改訂版）』（学術研究出版／ブックウェイ、2017年）、『物語更新理論 実践編』（学術研究出版／ブックウェイ、2018年）、*Narrative Renewal Theory: A Brief Introduction*（BookWay, 2019）など。

.

新版　物語更新理論入門
A New Introduction to Narrative Renewal Theory

2021年3月31日　初版発行

著　者　片渕悦久
発行所　学術研究出版
〒670-0933　兵庫県姫路市平野町62
［販売］Tel.079(280)2727　Fax.079(244)1482
［制作］Tel.079(222)5372
https://arpub.jp
印刷所　小野高速印刷株式会社
©Nobuhisa Katafuchi 2021, Printed in Japan
ISBN978-4-910415-56-7